KB096512

공부는 하기 싫지만, 사랑은 하고 싶어

공부는 하기 싫지만, 사랑은 하고 싶어

발 행 | 2024년 1월 2일
저 자 | 임세연, 김보민, 송수아, 김채이, 이용준, 권예린, 황여울, 장현빈
펴낸이 | 한건희
펴낸곳 | 주식회사 부크크
출판사등록 | 2014.07.15.(제2014-16호)
주 소 | 서울특별시 금천구 가산디지털1로 119 SK트윈타워 A동 305호
전 화 | 1670-8316
이메일 | info@bookk.co.kr

ISBN | 979-11-410-6349-8

www.bookk.co.kr

공부는
하기 싫지만,
사랑은
하고 싶어

임세연, 김보민, 송수아
김채이, 이용준, 권예린
황여울, 장현빈 지음

차례

제1화 치즈 논쟁

1장 치즈

2023년 9월 28일

이제 막 무더운 여름이 끝났다. 그리고 그동안 날 힘들게 했던 2학기 중간고사도 이제 막 끝났다. 그래서 오랜만에 윤태와 혜정이와 함께 초등학교 때 학교가 끝나면 같이 달려가서 먹었던 떡볶이집에 왔다. 이게 얼마 만에 먹는 떡볶이인지 그동안 시험 준비도 하면서 10월에 열리는 학교 축제도 같이 준비하다 보니 너무 바빠 먹는 것도 제대로 먹지도 못했다. 시험을 준비하는 동안 매일 머릿속에서 떡볶이가 그려졌다. 아마도 내가 시험을 못 본 것은 떡볶이 때문에 아니었을까? 그래서 시험 기간 동안 공부에 집중하지 못하게 한 떡볶이에 이번에는 특별히 치즈도 같이 추가해 줬다.

언제나 그랬듯 떡볶이는 중간 맛에 중간 크기로 시켰다. 이 떡볶이집은 순한 맛은 너무 순하고 그렇다고 매운맛을 시키기에는 너무 매우므로 항상 중간 맛으로 시켰다. 그리고 언제 한번 큰 크기로 떡볶이를 시켰다가 남겨 가게 사장님께 혼난 뒤로부터는 무난하게 중간 크기를 시키게 되었다. 떡볶이가 나오기를 기다리는 동안 얘기를 10분간 나누었다. 이 떡볶이집은 매번 10분 뒤에 떡볶이가 나온다는 초등학교 때부터 학습한 결과였다. 우리가 최근에 계속 나누는 이야기는 대체로 축제에 관한 이야기였다. 춤에 영 소질이 없던 혜정이는 자기는 춤이 너무 어렵다면서 투정을 부렸다. 나도 춤은 소질이 없던 터라 혜정이의 말에 공감했다. 그나마 다행인 건 윤태가 춤을 잘 춘다는 것이다. 어렸을 때부터 춤을 배워서 대회에 나가 상도 많이 받았다고 했다. 그래서 윤태가 우리에게 춤을 알려주면서 축제 준비를 하고 있었다. 사실 내가 윤태에게 반한 것도 춤 때문이다. 그리고 내가 윤태와 사귀게 된 것도 춤 덕분이다.

우리가 실컷 떠드는 동안 떡볶이가 나왔다. 이게 얼마 만에 보는 떡볶이인지 너무 좋아 눈물이 나올 뻔했다. 너무 오랜만에 본 나머지 떡볶이에 광이 나는 느낌이었다. 나는 떡 먼저, 윤태는 어묵 먼저, 혜정이는 치즈 먼저 먹었다. 우리는 각자 떡볶이를 먹는 순서가 달랐다. 나는 떡볶이 소스가 잘 배어 있는 떡을 먼저 먹어야지 비로소 '내가 제대로 된 떡볶이를 먹고 있구나!' 라는 생각 때문에 떡을 먼저 먹는다. 윤태는 그냥 어묵이 좋아서 항상 어묵 먼저 먹는다고 했다. 혜정이는 항상 치즈를 추가하면 치즈를 먼저 먹는다. 왜인지는 모르겠지만 치즈를 잡고 늘리는 것이 너무 재미있어 먼저 먹는다고 했다.

모두가 맛있게 먹고 있었던 때였을까, 혜정이가 다시 한번 치즈를 먹으려고 했다. 젓가락으로 떡볶이 위에 올려져 있는 치즈를 잡아 쭉 늘였다. 어찌나 잘 늘어나던지 혜정이가 치즈랑 씨름을 하는 모습이 마치 줄다리기하는 것 같았다. 혜정이는 그 늘어나는 치즈를 보고 너무 좋아 입꼬리가 귀에 걸릴 듯했다. 하지만 하도 치즈가 안 끊어지길래 혜정이가 당황해하자, 내가 치즈를 끊어주려고 하던 찰라 내 옆에 앉아있는 윤태가 자기 앞에 있는 혜정이의 치즈를 끊어 줬다. 그리고 나서는 혜정이가 윤태에게 고맙다고 하였다.

순간 떡볶이집 안에 분위기는 이상해졌다. 왜인지 모를 불편함이 나를 덮쳤다. 아무래도 내가 혜정이의 표정을 봤기 때문이었을까. 아님 윤태가 혜정이의 치즈를 떼주었기 때문일까. 갑자기 내가 이런 걸로 불편함을 느낀다는 것이 부끄럽고 짜증이 났지만, 내가 느낀 그 기류는 절대 나의 착각이 아니다. 분명 내가 불편해야 하는 상황이 맞다. 그렇지 않다면 혜정이가 치즈를 끊어줘서 고맙다고 말하면서 윤태를 바라본 그 눈빛, 윤태가 별거 아니라는 듯 웃는 그 표정을 설명할 방법이 없다. 대체 그 눈빛은 뭐였을까. 대체 그 표정은 뭐였을까?

2장 춤

2023년 3월 15일

이날은 내가 반에 남아 청소를 했다. 원래라면 3명과 같이 하는 거지만 마침 그 2명이 학교에 나오지 않았다. 한 명은 제주도, 한 명은 부산에 갔다고 했었던가. 그래서 이번 청소는 좀 오래 걸렸다. 작년에 혜정이와 윤태와 같은 반이었을 때는 서로가 청소 당번이 아니어도 같이 청소를 도와줬었다. 하지만 올해는, 작년과 달리 이번엔 나는 6반 혜정이와 윤태는 8반으로 배정이 되어 지금 이 반에는 내가 친한 친구가 한 명도 없다. 다른 친구들은 각자 자기 반에서 제법 친구들을 사귀어서 같이 다니는 모습을 떠올리며 작년이 좋았다고 생각하면서 청소를 다 하고 책상 줄을 맞추고 문을 잠그고 나왔다.

열쇠를 행정실에 가져다 놓으려고 1층에 내려왔다. 근데 무용실 쪽에서 음악 소리가 흘러나왔다. 누구지 싶어 무용실 쪽으로 다가갔다. 윤태였다. 윤태가 어렸을 때부터 춤을 배웠다고 했는데 저 정도로 잘 출 줄은 상상도 못 했다. 정말 몸이 깃털처럼 가벼운 듯이 날아다니는 것 같았다. 그때였을까, 윤태를 좋아했던 것이 아니면 처음 볼 때부터 좋아했었던 걸까. 얼른 칭찬을 해주고 싶어 놀랄 윤태는 생각도 못 하고 황급히 뒷문을 열고 윤태를 불렀다. 윤태는 곧장 노래를 끄고 나를 바라봤다. 언제부터 거기 있었느냐면서 엄청나게 놀란 눈치였다. 윤태에게 정말 춤을 잘 춘다면서 칭찬을 해줬다. 내가 말을 잘 못해서 썩 좋은 칭찬은 아니었지만 다행히 윤태도 좋게 받아들였는지 부끄러워했다.

윤태와 무용실에서 이것저것 얘기를 나누었다. 이상하게 윤태와 얘기를 하면 시간이 빨리 간다. 30분이 지났을까 1시간이 지났을까 윤태가 얘기하는 도중에 자신이 하고 싶은 것이 있다며 얘기를 했다. 바로 자기가 10월에 열리는 학교 축제에 나가고 싶다는 것이었다. 하지만 자기는 대회에서 춤추는 것은 잘할 수 있지만, 이상하게 친구들 앞에서만 춤을 추면 부끄러워 잘 못 춘다는 것이었다. 하지만 친구 몇 명과 같이 나가면 괜찮을 것 같아 최근에는 축제에 같이 나갈 친구를 구하고 있다고 하였다. 하지만 이 학교에는 축제에 나갈 만큼 춤을 잘 추는 친구들이 없어서 어려워하고 있다고 했다. 그 순간 나는 좋은 생각이 떠올랐다. 바로 내가 같이 윤태와 축제에 나가는 것이었다. 사실 나는 춤을 못 추지만 그 생각을 한 것은 윤태와 축제를 준비하면서 같이 있고 싶었기 때문이기도 했다. 곧장 나는 윤태에게 같이 축제에 나가자고 말했다. 그 말을 들은 윤태는 갑자기 그게 무슨 말이냐며 당황해했다. 윤태도 내가 춤에 꽝이었다는 걸 알기 때문이었다. 나는 윤태에게 네가 춤을 가르쳐주면 될 것이라고 하였다. 윤태가 춤을 잘 추니까 가르치는 것도 잘할 것이라고 말하면서 윤태를 설득했다. 윤태는 처음에는 당황한 눈치였지만 나중에는 내가 한 말이 진심이라는 것을 알고 같이 축제에 나가자는 것을 허락해 주었다.

2023년 3월 17일

춤을 연습하기로 했던 날 다음부터 나와 윤태는 학원을 늦게 가는 수요일마다 학교에 남아서 춤을 췄다. 둘 다 수요일만 학원을 늦게 가기 때문이었다. 그리고 나의 중학교 1학년 담임 선생님이셨기도 하고 종종 찾아가 수다를 떨며 친밀하게 지낸 덕분에 수요일 방과 후에는 특별히 무용실을 나와 윤태만 쓸 수 있게 담임 선생님께 허락받았다.

오늘도 다른 날과 마찬가지로 윤태와 무용실에서 춤 연습을 하고 학교를 나오는 중이였다. 그때 횡단보도 앞에서 이제 막 학원이 끝난 듯한 혜정이를 마주쳤다. 혜정이는 우리에게 왜 같이 학교를 나오냐고 하였다. 우리는 혜정이에게 그동안 있었던 일을 말해주었다. 혜정이는 그 말을 듣고는 정말 멋있다면서 열심히 하라고 응원을 해주었다. 나중에 가서는 혜정이도 종종 수요일마다 무용실에서 우리가 춤을 추는 모습을 봐주기도 하였다. 혜정이는 우리 둘이 춤을 추는 모습이 재미있어 보였는지 자기도 같이 축제에 나가고 싶다고 하였다. 사실 나는 윤태와 둘이 하고 싶었지만 윤태는 사람이 많을수록 좋다면서 받아주었다. 이게 우리 셋이 수요일마다 학교 무용실에서 음악을 틀며 신나게 축제 준비를 하게 된 이유다.

3장 하영과 윤태 그리고 혜정이

2023년 4월 20일

이제 곧 중학교 3학년이 돼서 처음 보는 시험인, 중간고사가 다가온다. 중학생만 되면 100점은 기본으로 맞을 줄 알았던 나는 중학교에 들어온 지 2년이 조금 지난 지금, 그런 일은 하늘의 별 따기라는 것을 깨달았다. 뭐, 학원을 다니는 영어와 수학은 항상 90점 아래로는 내려간 적이 없지만 다른 과목에서 애를 많이 먹었다. 하지만 혜정이는 달랐다. 학원을 수학 하나만 다닌다고 하더라도 영어와 수학 그리고 국어는 기본적으로 항상 100점을 맞는 친구였다. 지금 보니까 내가 어떻게 혜정이와 같은 똑똑이와 친해졌는지 모르겠다. 혜정이랑 어떻게 친해졌더라.

2017년 3월 7일

오늘같이 날씨가 화창한 적은 없었다. 그래서 유난히 오늘은 기분이 좋았다. 그저 날씨가 좋다는 이유만으로. 그래서 그날은 유독 모든 것에 관대했다. 나의 왼손잡이 짝꿍의 팔꿈치는 항상 나와 부딪쳤지만, 왠지 그날은 그냥 용서됐다. 날씨가 좋아서 열어놓은 창문으로 시원한 바람이 불면서 나의 연필은 책상 아래로 굴러떨어졌다. 나는 연필을 줍기 위해 손을 뻗었다. 그 순간 내 손은 다른 사람의 손이 부딪혔다. 혜정이였다.

혜정이는 연필을 주워주면서 자신의 것과 똑같다면서 신기해했다. 나도 혜정이가 이 연필을 가지고 있다는 사실에 놀랐다. 그 연필은 내가 좋아하는 캐릭터가 그려져 있는 연필이었기 때문이었다. 그 연필 덕분에 나와 혜정이는 점심시간에 시간 가는 줄도 모르고 이야기를 나눴다. 그 뒤로도 항상 같이 점심을 먹고도 시간이 모자라 반으로 올라가서도 끊임없이 얘기를 나누었다.

2017년 4월 10일

혜정이가 너무 부러웠다. 나와 그렇게 얘기를 실컷 떠들었는데도 불구하고 항상 혜정이는 자기가 맡은 일에는 철저했기 때문이다. 자신과의 약속을 칼같이 지키는 모습을 보고 나도 혜정이처럼 되겠다고 다짐한 지 벌써 5번째이다. 매번 작심삼일이었지만 단기간에 열정을 불태우기에는 좋았다.

2017년 6월 1일

오늘은 학교가 단축 수업을 해서 학교가 끝난 후 신나게 집으로 향하던 길이었다. 그때 뒤에서 누군가 나의 이름을 불렀다.
" 하영아, 잠시만! "

뒤를 돌아보니 혜정이였다. 어찌나 급해 보이든지 숨소리가 매우 거칠었다. 나를 멈춰 세워서 하는 말은 2천 원만 빌려달라는 것이었다. 나는 선뜻 2천 원을 줄 수 없었다. 이제 막 초등학교 3학년인 나에겐 2천 원은 많은 것을 사 먹을 수 있었기 때문이었다. 하지만 나는 혜정이가 좋았기 때문에 선뜻 2천 원을 내어주었다. 당연히 나중에 갚을 거라는 생각으로.

2023년 6월 8일

2천 원을 빌려준 지 일주일이 지났다. 평소라면 2천 원이라는 돈은 금방 잊혔겠지만, 그 2천 원은 내가 학교가 끝나자마자 달려가서 떡볶이를 사 먹으려고 했던 돈이기 때문에 기억에 더 오래 남았다. 원래 이런 거 말하는 성격은 아니었지만 큰맘을 먹고 혜정이에게 다가가 내가 그때 준 2천 원은 잘 썼냐고 물어봤다. 혜정이는 나에게 고맙다고 말하더니 정말 잘 썼다고 했다. 혜정이가 그 말을 하는 동시에 나는 알 수 없는 불편함을 느꼈다. 혜정이는 그 말을 끝으로 2천 원에 대한 말조차도 꺼내지 않았다. 시간이 지나니 나도 그 일을 잊게 됐고, 내 기억 속에서 그 일이 잊혀지고, 그 잊혀진 기억 속에서 느꼈던 불편함도 같이 지워졌다.

2018년 3월 2일

 벌써 1년이 지나 4학년이 되었다. 다행히 혜정이와 같은 반이 되었다. 선생님이 반 배정이 같이 된 친구를 불러 주었을 때 혜정이의 이름이 나와서 너무 기뻤다.

 학교로 가서 4학년 2반 교실을 찾았다. 반에 들어가자 항상 학교를 1등으로 오는 혜정이가 앉아있었다. 나는 2일 전에도 혜정이와 놀았었기에 가벼운 손 인사만 한 후 혜정이 뒷자리에 앉았다.

 시간이 흘러 차츰 반에 친구들이 오기 시작했다. 그중 눈에 띄는 친구가 한 명 있었다. 그 친구는 작년에 우리 반에서도 유명했던 친구였다. 아마 나와 같은 초등학교를 다닌 친구라면 누구나 알만한 친구였다. 작년에 장기 자랑 대회에서 우승을 차지했던 김윤태였다. 워낙 춤을 잘 춰서 우리 모두 기억하고 있을 것이다.

 마침, 내 뒷자리가 비어 있어서 김윤태는 내 뒷자리에 앉았다. 나는 내심 좋아했다. 윤태와 친해지고 싶었기 때문이다. 윤태가 내 뒷자리에 앉자마자 나는 뒤를 돌아 윤태에게 인사 했다.

 " 너 3학년 때 장기 자랑에서 춤 췄던 애 맞지!? "

 윤태는 그 말을 듣곤 무대 위에서 자신감 있던 모습과는 달리 부끄럽다는 듯 맞다고 대답했다. 한 번 나눈 그 대화가 쉬는 시간은 물론 점심시간 때까지 이어졌다. 오늘날로 인해 나와 윤태 그리고 혜정이가 친해지게 되었다.

2023년 4월 20일

오늘은 과거에 혜정이와의 추억을 떠올려 봤다. 그래, 내가 혜정이와 친해진 것은 유독 그날 날씨가 좋아서, 시원하게 분 바람 덕분이었다. 공교롭게도 좋아하는 캐릭터가 같았기 때문이기도 했다. 혜정이와는 초등학교 때까지는 친하게 친했지만, 중학교에 올라오고 난부터는 점점 멀어져갔다. 그저 사소한 다툼을 시작으로 하여 그동안 서로에게 쌓였던 감정들을 말하면서 서서히 멀어져갔다. 친구로 지낸 지 오래된 만큼 쌓여있던 감정들이 많았다. 그나마 다행인 건 나는 안 좋은 기억에 대해서는 금방 잊어버린다는 것이었다. 그래서 지금, 혜정이와 내가 춤을 같이 출 수 있는 것이다.

그래도 지금은 그 덕분에 예전만큼은 아니지만 혜정이와 친해진 것 같아서 다행이다. 혜정이와 멀어지면서도 한편으로는 초등학교 때부터 친구인 혜정이와 이렇게 멀어지기에는 아쉬웠던 적이 있었다. 혜정이도 그렇게 생각했기 때문에 나와 윤태에게 그런 제안을 한 것인지 모르겠다. 하지만 그 순간 나는 우리가 화해한 것이라는 생각이 들었다.

2023년 5월 3일

벌써 중간고사가 끝났다. 그동안은 공부하느라 수요일마다 춤을 못 쳤었다. 하지만 오늘은 오랜만에 윤태와 혜정을 무용실로 불렀다. 다들 얼마 만에 무용실이냐며 반가워했다. 그동안 앉아서 공부만 한 탓에 뭉쳐있던 몸을 스트레칭으로 날려줬다. 나는 춤을 배우는 과정 중에서 이 과정이 가장 좋다. 뭉쳐있는 몸을 풀면서 그동안 쌓였던 스트레스도 함께 날아가는 기분이 들었기 때문이다. 하지만 오늘은 유독 스트레칭이 안 되었다. 내가 오늘 긴장을 했기 때문이었을까. 아니면 고심 끝에 내린 결정 때문이었을까.

오늘도 혜정이가 먼저 무용실을 나갔다. 그 뒤에 학원이 있기 때문이다. 그리고 나와 윤태는 무용실에서 30분간 춤을 연습하고 집에 갔다. 이번에도 그렇듯이 혜정이가 먼저 학원 때문에 무용실을 나왔다.

오늘따라 이상하게 이상한 데에서 실수를 많이 했다. 내가 하도 많이 실수하니 윤태가 나에게 어디 아프냐고 물어봤다. 나는 머리로는 괜찮다고 말하고 있었지만, 심장은 너무 빨리 뛰어서 터질 지경이었다. 그렇게 30분 정도 춤 연습을 더 하고 무용실을 나왔다. 나와 윤태는 사는 곳이 정반대여서 항상 학교 정문 앞에서 인사를 하고 각자 자기 갈 길을 갔었다. 오늘도 학교에서 나와 윤태와 인사를 하고 윤태는 나와 반대 방향으로 걸어가고 있을 때, 나는 윤태를 불렀다. 내가 작게 말했는지 계속 길을 걷는 윤태를 더 큰 소리로 불렀다.

"야, 김윤태!"

윤태는 가는 길을 멈추고 돌아봤다. 분명 봄이 지났지만, 분명

벚꽃은 졌지만, 윤태가 뒤돌아보고 내 얼굴을 빤히 바라보고 있
는 순간, 내 얼굴은 봄에 피는 벚꽃처럼 발그레해졌다. 바람에
흩날리는 꽃가루 때문에 코가 간지러워 재채기가 나올 듯, 말
듯 하는 것처럼 내 목에 걸려있는 말 한마디가 날 계속 간지럽
게 만들었다. 윤태는 '왜?'라는 표정으로 갸우뚱하게 쳐다보았
고 그 순간 나는 목에 걸려있던 한마디를 꺼냈다.

"윤태야, 나 너 좋아해"

4장 다시 돌아와서 치즈로,

2023년 9월 28일

떡볶이를 다 먹고 나왔다. 떡볶이는 언제나 맛있었는데 오늘은 왠지 그다지 맛있지 않았다. 내가 느꼈던 불편한 기분이 나의 혀를 마비시킨 것 같았다. 내가 왜 그 기분 나쁜 불편한 기분을 느꼈는지 모르겠다. 윤태가 혜정이의 치즈를 떼어줘서일까 혜정이가 윤태를 바라보던 혜정이의 표정 때문일까, 별거 아닌 듯이 웃던 윤태의 코웃음 때문일까, 그런 불편한 기분을 느꼈지만 오랜만에 모인 자리를 망치고 싶지 않아 가만히 있었다.

떡볶이를 다 먹고 카페에 갔다. 우리는 늘 그랬다, 떡볶이의 매운 맛을 차가운 음료로 식히기 위해서이다. 그 카페도 우리가 자주 가는 단골 카페였다. 다른 프렌차이즈 카페와는 달리 조용하고 아담한 카페로 카페 주인의 취향이 고스란히 담긴 숲속 분위기의 카페였다. 카페에 들어가 이야기를 나누면 마치 숲속에 들어가 아무도 듣지 않는 비밀 얘기를 하는 것 같았다.

카페에 들어가서 음료를 시켰다. 우리가 떡볶이를 중간 크기, 중간 맛으로 늘 같은 것을 시키는 것처럼 메뉴도 항상 달랐다. 나는 딸기스무디, 윤태는 아이스 초코, 혜정이는 아이스 바닐라 라떼를 시켰다. 그래서 카페 주인분이 작은 유리창으로 보이는 우리가 카페 안으로 들어오는 것을 보시고는 우리에게 항상 그

메뉴를 시킬 거냐고 같은 메뉴인지 확인하시곤 했다. 오늘도 우리가 카페로 오는 것을 보시고 같은 메뉴를 담아두셔서 결제만 하면 되었다. 음료를 결제하고 카페에 가장 구석 자리로 들어갔다. 구석 자리에 자리를 잡고는 그동안 하지 못했던 이야기를 할 준비를 했다. 혜정이가 먼저 이야기를 꺼냈다. 혜정이가 하는 말은 대부분 공부 아니면 자신의 미래와 관련된 이야기였는데 요즘에는 고등학교 진학 준비 때문에 너무 힘들다고 했다. 혜정이가 공부를 잘하는 데는 다 이유가 있었다. 일상이 모두 공부로 채워져 있기 때문이다. 저 정도로 열심히 공부하니 나중에 미래도 탄탄할 거라고 생각했는데 혜정이는 달랐나 보다. 항상 자신의 미래에 대해 확신이 서지 않는다고 말했다. 그럴 때마다 항상 나는 혜정이에게 너는 지금처럼 하면 꼭 나중에 가서 성공할 거라고 말해준다. 하지만 오늘은 아니었다. 혜정이의 얘기가 끝나자 윤태가 혜정이에게 넌 뭐든 열심히 하니 나중에 가서도 성공할 거라고 말해주었다. 윤태가 혜정이에게 이런 말을 해주는 건 이번이 처음이다. 오늘따라 내가 예민한 걸까 윤태가 오늘따라 이상한 걸까.

윤태는 춤과 관련된 얘기를 종종 했다. 윤태의 꿈은 안무가였다. 우리가 지금 음악회를 준비하면서 추고 있는 춤도 윤태가 만든 춤이다. 윤태가 만든 춤은 날카롭고 때로는 부드러웠다. 그래서 추기에 더 어려웠다. 날카로울 때는 강하게 부드러울 때는 약하게 힘을 조절하는 것은 나와 혜정이 같은 초보자들에게 너무 어려웠다. 그래도 윤태는 그 누구보다도 우리에게 열정적으로 춤을 알려줬다. 이제 곧 있으면 우리가 열심히 연습한 춤을 학교 친구들에게 보여줄 수 있다는 사실이 너무 좋다며 빨리 축제 날이 왔으면 좋겠다고 하였다. 나는 처음에는 친구들 앞에서 춤을 보여준다는 게 너무 떨렸지만, 윤태가 저렇게 좋아하는 모습을 보니 떨리는 마음보다는 실수하지 말아야 한다는 마음이 앞섰다.

 다음은 내 차례였다. 요즘 내 고민은 무엇을 해야 할지 모르겠다는 거다. 윤태는 춤, 혜정이는 공부를 잘하지만, 난 특출나게 잘하는 것은 없었다. 그저 그냥 애매하고 평범한 학생이었다. 초등학교 때까지만 하더라도 별생각 없이 살았는데 요즘은 계속 내가 잘하는 게 뭘지 생각하곤 한다. 하지만 내가 이런 얘기를 할 때마다 윤태와 혜정이는 이해가 안 된다는 눈치였다. 항상 아직은 잘하는 게 없어도 된다, 너는 뭐든지 잘할거라는 터무니없는 위로의 말들뿐이었다. 뭐 그 터무니없는 말들이 꼭 싫은 것은 아니지만, 나도 윤태와 혜정이처럼 특출나게 잘하는 것이 하나쯤은 있었으면 좋겠다.

 한참 동안 이야기를 하고 나서 카페를 나왔다. 혜정이는 집에 일이 생겨 먼저 집에 갔다. 이제 윤태와 나만 남았다. 우리는 학교 쪽으로 나란히 걸어갔다. 집이 반대 방향인 우리가 같이 갈 수 있는 길은 학교 가는 길밖에 없었다. 그래서 우리는 항상 차례를 돌아가면서 집을 데려다줬다. 어제는 윤태가 나를 집에 데려다주었으니, 오늘은 내가 윤태를 데려다주는 날이다. 학교에 도착해 윤태 집 방향으로 걸어갔다. 걸어가는 동안 많은 애기를 했다. 시험은 잘 봤는지, 아쉬운 건 없었는지 하는 평범한 대화를 이어갔다. 그렇게 한참을 걸어가던 중 내 눈앞에 오늘 떡볶이집에서 본 혜정이의 얼굴이 지나갔다. 그래서 멈춰서서 윤태를 바라보고 물어봤다.

" 너 오늘 떡볶이집에서 혜정이 치즈 왜 떼줬어? "

그 말을 들은 윤태는 순간 놀란 눈치였다. 갑자기 시시콜콜한 평범한 얘기를 하다가 치즈 얘기라니 나 같아도 놀랄 것 같긴 하다. 윤태는 나에게 무슨 말이냐고 되물었다. 나는 다시 똑같이 말했다. 이게 장난이 아니라는 것을 깨달은 윤태는 천천히 말했다.

"그냥 치즈가 너무 안 떼 져서 떼줘야 할 것 같아서 그런 거야."

윤태는 담담하고 차분한 말로 대답을 해주었다. 그 뒤에 그럼 그 웃음은 뭐였냐고 묻고 싶었지만, 이 이상 말하면 싸움이 될 것 같아 멈추었다. 나는 윤태에게 그런 거 한 번도 떼준 적 없던 애가 떼주니까 신기해서 물어봤다고 말하고는 다시 앞을 보고 걷기 시작했다. 오늘부터 우리 사이에는 금이 가기 시작했다.

2023년 10월 4일

추석이 끝나고 오랜만에 학교에 왔다. 오랜만에 온 학교는 반가웠다. 그동안 연휴라 하지 못한 춤 연습을 할 수 있기 때문이다. 수업이 끝나고 오늘은 내가 청소 당번이기 때문에 남아서 청소했다. 책상을 다 뒤로 밀어 넣고 빗자루를 들고 청소를 시작했다. 그때 교실 밖에 윤태와 혜정이가 서 있던 것이 눈에 들어왔다. 종종 윤태와 혜정이 반은 종례가 더 빨리 끝나면 나를 기다려 주었다. 하지만 평소와는 다르게 둘은 나란히 서 있었고 떡볶이집에서 느꼈던 불편함이 다시 나를 휘감았다. 윤태와 혜정이가 서로 마주 보면서 얘기하고 웃고 있는 모습에 짜증이 나기도 했다. 윤태는 그런 내 마음을 모르는지 계속 혜정이와 웃으며 얘기를 하고 있었다. 그 모습을 더 이상 볼 수 없었던 나는 청소를 누구보다 빨리 끝내고 문을 잠그고 나왔다. 윤태와 혜정이는 내 모습을 보고 청소를 빨리 했다며 실실 웃었다. 윤태는 내 손을 잡고 가자, 라고 외치며 무용실로 내려갔다. 나는 윤태가 나의 손을 잡는 순간 청소를 하면서 느낀 감정들이 조금 풀렸다.

무용실에 도착해서 스트레칭을 하고 춤을 췄다. 곧 축제가 얼마 안 남아서 다른 날보다 더 열심히 연습하였다. 그건 혜정이도 마찬가지였었다. 나와 혜정이가 다른 날과는 다르게 유독 열심히 연습하는 모습이 윤태가 보기에는 좀 웃겼는지 웃음을 터뜨렸다. 윤태가 웃기 시작하자 나와 혜정도 같이 웃기 시작했다. 딱 거기까지만 했으면 좋았을 텐데…

혜정이는 웃으면서 윤태의 왼쪽 어깨를 때리기 시작했다. 그 순간 나는 아무리 웃고 싶어도 웃음이 나지 않았다. 웃으면서 윤태의 왼쪽 어깨를 때리는 혜정이도 그걸 그냥 아무렇지 않게 맞고만 있는 윤태도 그냥 모든 상황이 짜증이 났다. 아무래도 이대로 가다가는 혜정이가 계속 선을 넘을 것 같아서 나는 윤태의 오른쪽 팔을 잡고 내 쪽으로 당기면서 혜정에게 말했다.

"야, 혜정아, 그만 좀 때려 윤태 팔 나가겠다."

웃으면서 말하려고 했던 말이 웃음기가 싹 사라진 채 매우 진지한 말투로 나와버렸다. 그 말을 하자 웃음소리로 가득 찬 무용실은 노랫소리만 흘러나오기 시작했다. 다행히도 혜정이는 그 말을 듣고는 나와 윤태에게 사과했다. 나도 혜정이의 사과를 듣고 다시 연습하기 시작했다. 아까처럼 그렇게 좋은 분위기는 아니었지만.

2023년 10월 5일

어제 무용실에서 있었던 일 때문에 어색한 분위기 속에서 춤 연습만 하고 집으로 돌아왔다. 오늘은 나랑 윤태가 오랜만에 데이트를 하는 날이다.

오늘도 그 카페를 갔다. 항상 우리는 대화가 필요할 때면 그 카페에 들어가서 조용히 얘기를 나누었다. 카페가 숲 같아서 그런지 항상 비밀 얘기를 할 때면 숲속에 우리만 있는 듯했기 때문이다. 나는 항상 그렇듯 딸기스무디를 시키고, 윤태는 아이스 초코를 시켰다. 주문을 한 후 우리는 카페에 가장 구석에 있는 자리에 앉았다. 곧이어 우리가 주문한 음료가 나온 후 우리는 얘기를 시작했다. 나는 오늘 윤태에게 내가 왜 어제 혜정이에게 예민하게 행동했는지 이유를 말해주기로 하였다. 그래서 내가 먼저 말문을 열었다.

" 너 내가 혜정이랑 예전에 싸워서 어색했던 때 알지. "

윤태는 잠깐 당황하더니 알고 있었다고 대답했다. 나는 왜 싸웠는지 아냐고 물어봤다. 그러자 윤태는 모르는 다면서 고개를 저었다. 난 내가 왜 혜정이랑 싸우게 되었는지 윤태에게 말하기 시작했다.

내가 초등학교 5학년이었을 때 얘기다. 그때 나는 좋아하던 애가 한 명 있었다. 그래서 맨날 붙어 다니고, 얘기하고, 5학년 1학기 때의 나는 오직 그 애를 좋아하는 데에 시간을 보냈다.

나는 혜정이에게 내가 좋아하는 사람에 대해서 얘기를 많이 하였다. 혜정이가 그 남자애와 같은 반이었기 때문이다. 걔가 오늘 무슨 말을 했는지, 무엇을 좋아한다고 했는지 등등 혜정이가 알려줬다. 어쩌다 한번 혜정이에게 그 남자애 생일선물로 무엇을 줘야 하는지 모르겠다고 했었다. 혜정이는 나에게 내 마음을 담은 책을 선물로 주라고 했다. 나는 당연히 혜정이가 그 친구를 많이 알고 있기에 책을 선물해 주라고 하는 줄 알았다. 나는 책 한 권을 사서 정성스럽게 포장을 해 그 친구 생일에 주었다. 내가 생일선물을 주자 다음으로 혜정이가 나타나서 선물을 주었다. 작은 장난감이었다. 그리고선 혜정이는 그 친구에게 말했다.

" 너 이거 가지고 싶다며, 그래서 샀어. 그리고 나 너 좋아해. 나랑 사귀자. "

혜정이는 내가 보는 앞에서 그 남자한테 고백했고, 내가 준 책은 작은 장난감에 밀려 바닥에 떨어져 있었다. 그 남자는 혜정이의 고백을 받아주었고 나는 그날 이후로 혜정이와 얘기하지 않았다. 혜정이가 나에게 찾아와 사과하기 전까지는.

윤태는 나의 얘기가 끝난 후 담담한 표정으로 날 쳐다보며 말했다.

"너 지금 초등학교 때 일을 가지고 걱정하는 거야? 네가 생각하는 일 없어. 걱정하지 마."

나는 윤태의 확신의 찬 말을 듣고 안도감과 그동안 불안해하고 있던 나의 모습이 떠올라 부끄러움이 몰려왔다.

5장 축제

2023년 10월 20일

오늘은 드디어 우리가 몇 달 동안 준비한 축제 날이었다. 다른 애들은 한 달 정도 준비했지만 우리는 워낙 춤을 못 췄기 때문에 몇 달 동안 더 많은 시간 동안 연습을 하였다. 그래서 그런지 다행히도 우리 팀은 다른 팀보다 유독 잘하는 티가 났다. 우리가 춤을 추는 것을 음악 선생님이 보시고는 우리가 춤 대회에 나가도 상을 탈 수준이라고 칭찬까지 해주셨다.

우리는 축제 무대에 서기 전 아침 일찍 만나서 춤 연습을 하였다. 우리가 연습했던 것 중 가장 완벽한 무대였다. 이대로 축제에서도 잘만 해주길 바라면서 우리는 무용실을 꽉 채운 구호를 외치고 아침 리허설을 끝냈다.

" 아자! 아자! 화이팅! "

점심을 다 먹고 강당으로 모였다. 드디어 30분 뒤면 친구들에게 우리가 준비한 춤을 선보일 수 있다. 우리는 축제 출연자 대기실에서 다시 한번 크게 구호를 외쳤다.

축제의 사회자가 축제의 시작을 알렸고, 다양한 친구들이 무대에 올라 자신만의 끼를 보여주었다. 사회자가 우리의 이름을 불렀고 우리는 어두운 무대 위로 올라갔다. 노래가 시작되며 밝아진 조명 덕분에 강당을 꽉 채운 친구들이 잘 보이진 않았다. 강당에는 많은 친구가 있었지만, 밝은 조명 때문에 친구들은 보이지 않았다. 오직 이 강당에는 우리만 있는 것 같았다. 많은 환호와 뜨거운 열기 속에서 우리는 춤을 추기 시작했다. 강렬한 소리에 빠르게 바뀌는 비트에 우리는 몸을 맞추었다.

우리가 노래에 맞춰 한 바퀴를 돌던 중 혜정이가 발을 잘못 디뎌 넘어졌다. 순간 강당은 조용해졌다. 윤태는 혜정이를 보자마자 다음 동작을 멈추었다. 혜정이는 창피한 듯 고개를 들지 못했고, 그런 혜정이에게 윤태는 손을 건넸다. 혜정이는 고개를 들고 윤태의 손을 꽉 잡았다. 그 순간 조용했던 친구들은 환호하기 시작했고 무대는 윤태와 혜정이의 무대가 되었다. 관객석에서는 혜정이가 윤태의 손을 잡는 모습을 보고 큰 목소리로 한 명이 외쳤다.

"오~ 둘이 뭐야! 사귀어라! 사귀어라!"

그 한 명을 시작으로 관객석에 있던 모든 친구가 그 한마디를 외치며 윤태와 혜정이의 관계를 응원하고 있었다. 그 순간 혜정이는 윤태를 바라보았고, 혜정을 잡아주던 윤태도 혜정을 바라보았다. 그 눈빛, 그 웃음. 마치 떡볶이집에서 본 눈빛과 유사했다. 아니 똑같았다.

난 혜정이의 그 눈빛을 보고 윤태의 손을 잡고 있는 혜정을 밀어버렸다. 쿵 소리가 나면서 혜정이는 무대 아래로 떨어졌고 나는 정신없이 무대에 내려와 강당 밖으로 나갔다.

정신을 차리고 보니 내 앞엔 음악 선생님과 윤태가 서 있었다. 난 강당 밖에 나와 바닥에 앉아서 울고 있었고 강당에서는 다음 무대가 시작되었는지 다른 노랫소리가 흘러나오기 시작했다. 관객석에 앉아있던 친구들은 언제 그런 일이 있었냐는 듯이 신나게 다른 무대를 즐기고 있었다.

음악 선생님과 윤태가 손을 내밀며 나를 일으켜 주려고 하였다. 나는 음악 선생님의 손을 잡고 자리에서 일어났다. 일어나서 흐르고 있는 눈물을 닦고 음악 선생님과 윤태를 번갈아 가면서 봤다. 내가 무슨 일을 저지른 건가 하는 생각과 함께 혜정이가 생각이 났다. 내 복잡한 얼굴을 확인한 음악 선생님께서는 혜정이는 보건실로 갔다고 하였다. 음악 선생님은 윤태와 함께 교무실에 가 진정하고 있으라고 말씀하시고 다시 강당으로 들어가셨다. 나는 윤태와 교무실에 들어가서 조용히 의자에 앉았다. 내가 윤태와 단둘이 같이 앉았던 때가 언제였는지 생각했다. 그동안 항상 축제 준비 때문에 우리 사이에는 혜정이가 껴 있었다.

조용한 교무실에서 바닥 밖에 볼 수없던 나는 아까부터 계속 눈물이 흐르는 얼굴을 들고 윤태를 바라봤고 윤태도 그건 나를 바라보았다. 윤태는 내 행동의 이유를 묻고 싶은 얼굴이었다. 나는 윤태에게 말했다.

"미안해, 그냥 모든 게 미안해. 이제 우리 그만 만나자."

윤태는 그 말을 듣고는 나에게 왜냐고 물어봤다. 나는 여러 말 하지 않고 늘 하고 싶었지만 유치해서 하지 못한 말로 헤어지는 이유를 대신했다.

" 네가 혜정이 치즈 떼어 줬잖아. "

치즈논쟁 끝.

제 **2** 화 어 장

저벅저벅.

 한 여학생이 계단을 오르다 2층에서 멈춰섰다. 긴 머리카락을 하나로 높게 묶은 단정한 교복 차림의 여학생이었다.

 "3학년이 2층이었던가"

 평소라면 깜깜했을 복도와 교실들이 불을 환하게 켠 채 학생들을 기다리고 있었지만 조용한 복도엔 어딘가 경직된듯한 공기가 맴돌았다. 숨을 크게 들이쉬자 특유의 나무향이 코를 통해 들어와 머리를 식혀주었다. 새학기라 그런지 이른 시간임에도 학교엔 꽤 많은 아이들이 와있었다.

 복도 벽면에 테이프로 대충 붙여져있는 커다란 종이 앞에서 반배정 명단을 훑던 손가락이 한곳에서 멈췄다.

'3학년 7반 7번 이연지.'

명단에서 이름을 확인하곤 새로 배정받은 반으로 발걸음을 옮겼다. 3학년이나 되었으니 이제 이 학교에서 반이 어디 있는지 몰라 길을 헤매는 불상사는 없었다. 망설임 없이 나아가는 발걸음에 맞춰 높게 올려묶은 머리칼이 찰랑거렸다.

"내가 일등이다."

가장 먼저 교실에 들어오자 칠판에 그려져 있는 자리 배치도가 눈에 띄었다. 이연지. 앞에서 두 번째 창가 자리였다. 자리에 앉아 반을 둘러보았다. 앞으로 1년 동안의 풍경들이 벌써 눈에 담기는듯했다. 창 밖으로 눈을 돌리자 아이들이 삼삼오오 등교하는 모습이 보였다. 북적거리는 소리가 창틀 사이로 새어 들어왔다.

얼마나 지났을까. 부산한 소리에 주위를 둘러보니 이미 교실에 들어와 앉아있는 아이들이 몇몇 보였다. 그것을 기점으로 점점 아이들이 무리 지어 오더니 곧 복도엔 파도가 몰려오듯 아이들로 가득 찼다. 설렘과 긴장이 담긴 재잘거리는 소리들이 금세 복도를 가득 메웠다.

"이연지!"

익숙한 목소리에 고개를 들자 교실 앞문에서 얼굴만 빼꼼 내민 채 반갑게 손을 흔들고 있는 예지가 보였다. 아담한 키에 단발머리를 하고있는 모습이 마치 까만 고양이를 연상케 하는 외모였다.

"어? 하예지!!"

연지의 얼굴이 활짝 펴졌다. 예지와는 어린이집 때부터 함께 알고 지내온 가까운 사이였다. 책을 덮은 연지는 한달음에 문 앞으로 달려나갔다.

"너도 7반이야?"

"으이구 명단에서 내 이름도 못봤냐"

익숙한 듯 그럴 줄 알았다는 예지의 말에 괜히 머쓱해져 배시시 웃어보였다. 헛똑똑이라며 놀리는 예지를 뒤로한 채 몸을 돌리려던 차였다. 갑자기 뒤에서 훅 나타난 팔이 얼굴 옆을 스쳐지나 교실 앞문을 드르륵 열어젖혔다. 곧이어 등 뒤에서 낯선 목소리가 들려왔다.

"잠깐 비켜줄래."

깜짝 놀라 뒤를 돌자 교복 셔츠 단추를 전부 푼 상반신이 가득 시야를 채웠다. 차민혁. 먼저 다가가기 어려운 인상의 아이였다. 교복 셔츠가 움직이는 대로 함께 달랑거리던 명찰이 빛을 반사 시켰다. 그가 남기고 간 그 미약한 잔상은 그가 떠난 후에도 아른거리는 듯했다.

"시끄럽다 이것들아."

앞문이 열리고 익숙한 목소리가 들리자 모두의 이목이 집중되었다. 교실 앞문을 열고 들어온 건 무섭다고 소문이 난 선생님이었다. 이 쌤이 담임이라니. 친구들과 망했다는 눈빛을 주고받으며 킥킥댔지만, 왠지 앞으로의 1년이 즐거울 것 같다는 생각이 들었다.

선생님은 다음 주에 학급 임원 선거가 있으니 관심 있는 사람은 준비해오라는 말씀을 하시곤 반을 나가셨다. 중학교에서의 마지막 1년이라고 생각하니 이제와서 못해본 것들이 너무 많이 생각났다. 그중 하나인 학급 반장을 해보는 것도 나쁘지 않을 것 같다.

학급 임원 선거 당일 날, 칠판엔 선거를 알리는 듯 <제○○회 학급임원 선거> 라는 문구가 큼지막하게 적혀있었다.

"자 나갈 사람 손들어."

선생님의 말씀에 나를 포함한 몇몇 아이들이 여기저기 손을 들었다. 교실을 둘러보던 그때, 창가 맨 뒷자리에서 턱을 괴고 내 쪽을 바라보던 한 남학생과 눈이 마주쳤다. 차민혁이었다. 다시 눈을 빠르게 피했다. 다시 그쪽을 보자 이번엔 민혁이 손을 들고 있었다. 예상 밖의 인물이 손을 들자 반 아이들 모두가 놀란 눈치였다. 환호하는 몇몇 남자애들도 있었다. 결국 칠판엔 민혁의 이름이 마지막으로 적힌 채 반장 선거 공약 발표가 시작된다. 반장 후보는 나와 차민혁을 포함해 총 세명이 나가게 되었다. 첫 번째 후보가 교탁 위로 올라가자 우리는 교실 앞 한 켠에서 차례를 기다렸다.

"야"

깜짝 놀라 입 밖으로 튀어 나올뻔한 소리는 간신히 막았지만 반사적으로 몸이 튀어 오르는 건 막을 수 없었다. 그 목소리는 마치 뇌 안에서 울리는 듯해 뒷목에 오소소 소름이 돋을 정도였다. 고작 이런 거에 이렇게 놀라다니, 덕분에 얼마나 많이 긴장하고 있었는지 자각할 수 있었다.

"뭘 그렇게 놀래 긴장 풀어"

그 목소리의 주인은 나의 반응이 재밌다는 듯 킬킬거리며 놀려댔다. 민망해 고개를 숙이자 그의 웃음소리가 더 크게 들렸다. 그래봤자 조용히 킥킥대는 것에 불과하겠지만 말이다.

"..이런 건 처음이란 말이야."

내 말에 민혁은 자신도 이런 건 처음이라며 긴장하지 말라고 말해주었다. 짓궂게 군건 조금 얄미웠지만 그래도 덕분에 긴장이 조금이라도 풀리는 기분이었다. 우린 발표에 방해가 되지 않게 소곤소곤 대화하며 어느 정도 친해질 수 있었다. 긴장을 풀려고 일부러 민혁의 말에 더 크게 반응했지만 사실 그와 나눈 대화 내용은 하나도 귀에 들어오지 않았다. 그럼에도 그 대화 속에서 느낀 점은 민혁은 보이는 것보다 더 친근하고 친절하다는 것이었다.

조용히 속삭이다 눈을 마주치며 싱긋 웃는 민혁은 참 예뻤지만 더 생각할 겨를은 없었다. 벌써 첫 번째 친구의 발표가 거의 막바지에 다다랐기 때문이다. 얼마 있지 않아 그 친구의 마지막 인사를 끝으로 아이들의 박수 소리가 들렸다. 그 소리를 듣자 그동안 민혁과 대화하며 잠시나마 풀렸던 긴장이 다시 스멀스멀 올라오는 듯했다.

'화이팅'

이런 나의 마음을 알았는지 민혁은 소리 없이 입모양으로 파이팅을 외치며 방긋 웃어 보였다. 그의 소리 없는 응원에 나도 같이 미소로 답을 해주곤 숨을 한 번 들이쉰 뒤 교탁 위로 올라섰다. 날 쳐다보는 아이들 사이로 간간이 익숙한 얼굴들이 보였다. 아이들 앞에 서는 건 도저히 익숙해지지 않지만 그래도 앞으로 한 해 동안 같이 지낼 이 아이들과 앞으로 어떤 날들을 보낼까 생각하니 조금은 긴장이 풀리는듯했다. 이런저런 생각을 하며 반 아이들을 훑다 나는 다시 한번 반 아이들을 바라보며 환하게 웃었다.

마지막 인사를 하고 교탁을 내려오자 민혁은 어깨를 살포시 두드려 주곤 교탁 위로 올라섰다. 새삼 느끼지만 전혀 어울리지 않는 그림이다. 반 아이들도 같은 생각인지 다들 민혁이 무슨 말을 할지 조용히 기다리기만 했다.

"부반장이 되고 싶습니다."

정적을 깨는 그의 한마디에 모두가 조용해졌다. 다짜고짜 부반장이 되고 싶다는 말도 이상한데 반장도 아닌 부반장이 되고 싶다니. 어디로 흘러갈지 전혀 예측되지 않는 민혁의 말에 모두가 그다음 말을 기다리며 그를 바라보았다.

"저는 공약을 지킬 자신이 없습니다."

또 한 번 민혁의 말에 얼이 탄 반 아이들은 그를 보며 갸우뚱거리기만 했다. 민혁은 계속해서 말을 이어갔다.

그의 말을 요약해 보자면, 지키지 못할 공약은 걸지 않는 대신 부반장으로서 최선을 다해 반장을 도와 반을 위하는 부반장이 되겠다는 말이었다. 그의 발표는 온통 예상 밖이었다. 하지만 그 솔직함에 진정성이 느껴졌다. 반 아이들도 나와 같은 생각인지 전부 얼이 빠진 얼굴로 박수를 쳤다. 다른 사람도 아닌 차민혁이 이런 말을 할 줄은 아무도 예상하지 못한 것이었다. 그가 이런 말을 할 수도 있다는 생각에 조금은 달라 보였다.

　나와 차민혁을 포함한 세 명의 공약 발표가 끝나고 선생님이 투표수를 세기 시작하셨다.

'차민혁'

'이연지'

　칠판엔 바를 정자가 늘어갔고 아이들의 함성소리는 더욱 커져 갔다.

　"반장 이연지, 부반장 차민혁. 끝!"

　명쾌한 선생님의 결론에 아이들은 박수쳤다. 환호성을 지르는 아이들 사이로 차민혁과 눈이 마주쳤다. 엄지척을 하며 웃어보이는 민혁에게 같이 엄지척을 해주었다. 우리는 서로를 보며 환하게 웃었다.

　"얘들아 조금만 조용히 하자"

　내 외침이 무색하게도 반 아이들은 조용해질 기미가 보이지 않았다. 오히려 내 목소리가 섞여 더욱 시끄러워질 뿐이었다. 반장으로서의 첫날인데 벌써부터 고생길이 보이는 듯했다.

　"야 반장이 조용히 하라잖아."

　그때 그걸 가만히 보던 민혁이 입을 열었다. 민혁의 말 한마디에 반이 순식간에 언제 그랬냐는 듯 조용해졌다. 어이가 없어서 말없이 민혁을 바라보았다. 그는 살짝 미소지은 채 어깨를 으쓱했다. 반장 선거 출마할 때 응원해준 것도, 지금 반 아이들을 조용히 시키도록 도와준 것도 전부 고마운 것 투성이었다.

"야 차민혁!"

교실 뒷문이 요란한 소리를 내며 열리더니 한 여자애가 얼굴을 쏙 내밀었다. 예쁘기로 유명한 옆 반의 한유라였다. 민혁은 유라를 보자 유라의 머리를 쓰다듬으며 반을 나갔다. 그녀가 볼을 발그레 붉히는 것이 보였다. 둘이 사귀는 사이인걸까. 뭐 나랑은 상관없는 일이지. 민혁은 친한 여자애들이 많다. 이미 알고 있던 사실이었지만 왜인지 오늘따라 더욱 마음에 들지 않는다.

쉬는 시간이 끝나는 종이 울림과 동시에 다음 시간이었던 체육을 하기 위해 운동장으로 나갔다. 오늘은 컨디션이 안 좋은 건지 체육 시간임에도 축축 처지기만 했다. 자꾸 아까 민혁과 유라가 단둘이 반을 나가던 장면이 눈앞에 되풀이되었다. 나와 친해졌다고 생각한 친구가 나 말고 다른 친구와 더 가까운 걸 봤을 때의 감정과 비슷한 것 같았다. 이런 유치한 질투는 이미 초등학교 때 졸업했다고 생각했는데 아니었나 보다. 걱정하는 예지를 잘 달래곤 체육 선생님껜 몸이 안 좋다고 말하고 운동장 조회대 옆 계단에 앉아있었다. 왜 자꾸만 민혁의 얼굴이 떠오르는지.

"왜 그렇게 울상이야, 이쁜 얼굴 망가지게."

깜짝 놀라 올려다보자 내 뒤에 서서 날 내려다보고 있는 민혁이 보였다. 그는 한 칸 더 내려와 날 마주 보며 앉았다. 민혁은 한 칸 아래에 앉았지만 나와 눈높이가 맞았다. 갑작스러운 그의 등장이 무척이나 당황스러웠다. 생각하던 사람이 눈앞에 있으니

속마음을 들킨 것 같기도 했다. 살면서 예쁘다는 말을 한 번도 들어보지 못한 것은 아니었지만 이렇게 적극적인 표현은 처음이었다. 그것도 또래 남자애에게. 이런 말엔 뭐라고 대답해야 할까 고장난 듯 말이 나오지 않았다.

"응? 아, 응. 이쁜 얼굴 망가지면 안 되지."

얼굴이 달아오르는 것이 느껴졌다. 내가 생각해도 이상한 대답이었다. 그가 잠시 당황하다 재밌다는 듯 웃는 게 보였다. 얼굴이 더욱 화끈거렸다. 이게 그렇게 웃긴 말이었나 괜히 머쓱해진 나는 그를 질책하듯 물었다.

"..이쁘다면서 왜 웃는 건데"

자꾸 민혁의 앞에서만 이상해지는 자신이 싫었다. 그를 보면 심술을 부려야겠다던 다짐은 그를 보자마자 처참히 무너졌다. 그의 행동 하나 말 하나에 기분이 구름 위로 붕 떴다가 금새 땅끝까지 처박히곤 한다. 이 짓을 하루에 몇 번씩 하니 너무 어지러워 멀미가 날 지경이었다. 좀처럼 마음대로 되는 일이 없어 자존심이 상했다. 괜히 심술이 나 이만 간다면서 일어나 뒤돌아갔다. 아니, 가려 했다. 민혁에게 손목이 잡히기 전까진.

"놀리는 거 아니야."

그렇게 말하는 민혁의 목소리엔 웃음기가 가득했다. 재밌어 죽겠다는 얼굴을 한 그가 얄밉기만 했다.

"애들이 말 안 듣는다고 너무 주눅 들지 마. 그런 건 내가 할 테니까 반장님은 나만 믿어. 그러려고 부반장 한거잖아, 나."

그렇게 말하며 웃는 민혁을 바라보았다. 아까 내 말을 안 듣는 애들 때문에 기가 죽어있다고 생각한 듯했다. 헛다리를 짚는 그가 괘씸했지만 내 기분을 신경 써 줬다는 것에 다시 기분이 눈 녹듯 사르르 풀렸다.

"됐어. 다음 교시 담임쌤이야. 쌤이 잠깐 교무실 들르래"

"응. 반장님 말이면 들어야지."

민혁의 눈이 예쁘게 휘었다. 저 눈웃음. 자꾸만 사람의 판단력을 흐리게 만든다. 멍해진 정신을 붙잡으려 괜히 헛기침을 했다.

"어머, 너희 참 부부같다~ 보기 좋아"

높은 하이톤의 목소리가 귀를 때렸다. 민혁과 함께 담임 선생님 심부름을 가던 도중에 만난 국어쌤은 흐뭇한 미소를 지으시며 민혁의 어깨를 두드리시셨다. 이런 말 싫어할까. 민혁의 반응을 살피려 그의 얼굴을 쳐다봤을 때였다.

"들었어 자기야?"

어깨동무를 하고 자기 쪽으로 당기며 그렇게 말하는 민혁의 행동 때문에 더욱 당황해 손에 힘이 풀려 들고 있던 책들이 요란한 소리를 내며 바닥으로 곤두박질쳤다. 떨어진 책들을 주우며 자기 없으면 안 된다는 생색을 내는 민혁의 목소리가 들렸다.

"..그런 장난 하지 마."

얘는 여자애들이랑도 이러고 노는 걸까. 민혁이 이런 장난을 칠 때마다 항상 나만 진심인지 헷갈려 하다 금세 실망해버리곤 한다. 민혁이 얄미웠다.

"반장 철벽 너무하다."

민혁은 속상하다는 듯 울상을 지어 보였지만 여전히 입꼬리는 올라가 있었다. 저 얄미운 놈. 민혁의 손에 들린 책을 가져가 교무실로 향했다. 뒤에서 반장 하고 부르는 소리가 들렸지만 무시했다. 이런 장난 하나에 심장이 오르락내리락하는 나와는 달리 민혁에겐 그저 장난에 불과하다는 사실이 자꾸만 나의 머릿속을 어지럽혔다.

이번 시간은 옆 반과 함께 하는 체육 시간이었다. 짝피구를 한다는 체육 선생님의 말씀에 아이들이 환호했다. 남녀가 짝을 지어 하는 운동인 만큼 다들 어딘가 상기된 분위기였다.

"반장. 넌 나랑 해야지?"

민혁이 공을 들어 보이며 손을 내밀었다. 오랜만에 새롭게 하는 피구가 기대되는지 두근두근 설레었다.

삐익-

호루라기의 쨍한 소리가 경기의 시작을 알렸다.

"꽉 잡아 반장."

나의 손을 잡아 자신의 허리춤에 놓은 민혁은 몸을 살짝 숙여 공을 받을 준비 자세를 취했다. 민혁의 커다란 등에 시야가 전부 가려졌다. 그가 공을 던질 때마다 등이 움직이는 것이 보였다. 자꾸만 얼굴에 스치는 옷깃에 간지러워 민혁의 체육복 허리춤을 붙잡은 손끝에 힘이 들어갔다.

"헉..헉.. 차민혁 조,조금만 천천히"

거의 끌려가다시피 손에 잡힌 민혁의 체육복에만 의지한 채

민혁의 뒤를 따라다니자 민혁은 잠시 뒤를 보다 멈추어주었다.

쐐애액-

　잠시 숨을 고르고 있던 사이 피구공이 바람을 가르는 무시무시한 소리를 내며 날아왔다. 눈앞까지 온 피구공에 소리조차 못 지르고 반사적으로 눈을 감았지만 왜인지 다음에 올 통증은 느껴지지 않았다.

"반장 괜찮아?"

　눈을 뜨자 주저앉아있는 내 눈높이에 맞춰 쭈그려 앉아 날 보는 민혁의 얼굴이 보였다. 운동장에 나와 그만 있는 것처럼 정적이 흐르는 듯 했다. 나 때문에 민혁이 같이 아웃 된 것이 미안해서 고개를 숙였다.

삐익-

"차민혁 이연지 아웃!"

　체육 선생님의 호루라기 소리와 동시에 아이들의 환호성이 들렸다.

"우와아아!!"

"멋있다 차민혁!"

　아이들의 함성 속에서 또렷이 들리는 낯부끄러운 말들과 차민혁에게 짐이 된 듯한 미안함 때문에 고개를 들 수 없었다. 그걸 빤히 보던 민혁은 내 팔을 자신의 어깨에 두르곤 한쪽 팔로 허리를 고정시켜 부축했다.

"선생님 연지가 발을 삔 것 같습니다. 보건실 좀 데려다줄게요."

그의 말에 아이들의 함성소리는 더욱 커졌다. 나는 얼른 이 자리를 벗어나고 싶어 다리를 다친 척 가만히 민혁에게 몸을 기대었다.

"이제 내려줘. 나 안 아파."

"알아, 그냥 여기서 좀 쉬어 많이 놀란 것 같던데."

"..미안해 나 때문에,"

"이럴 땐 미안하다가 아니라 고맙다고 하는 거야 반장."

내 기분을 풀어주려는 듯 민혁이 환하게 웃었다. 그의 눈이 또 다시 예쁘게 접혔다.

"이쁘다."

항상 그가 날 보며 웃어줄 때마다 했던 생각이다.

"자꾸 이상한 소리 하는 거 보니까 진짜 아픈가 보네. 선생님껜 말씀 드려놓을 테니까 푹 쉬다 와 반장, 갈게."

드르륵.

보건실 문이 닫히자 순식간에 주변이 조용해졌다. 그럴수록 두근거리는 심장 소리는 더욱 크게 울렸다. 아직 놀란 가슴이 진정되지 않았나 보다.

도망치듯 빨라지던 발걸음은 구석진 곳으로 가자 겨우 진정되었다. 주변이 조용해지니 복잡하던 머릿속도 조금은 정리되는듯했다. 바보 같았다. 아프지도 않은데 보건실에 계속 있자니 양심에 찔려 반으로 가는 도중, 민혁과 유라가 같이 있는 모습을 보자 내 발은 이미 내 의지와는 상관없이 그 둘로부터 도망치고 있었다. 잘못한 거라도 있는 사람처럼. 괜히 자존심이 상해 다시 그쪽으로 가려 몸을 돌렸을 때였다.

"여기서 뭐해?"

고개를 들자 미소를 띤 채 서있는 민혁이 보였다. 갑작스러운 민혁의 등장에 채 정리되지 않은 머릿속은 더욱 뒤죽박죽 어지럽혀졌다.

"그,그냥 도서관, 가려구.."

정말 잘못이라도 한 것처럼 도저히 민혁의 눈을 마주칠 용기가 나지 않았다. 그가 내 눈을 통해 나를 전부 꿰뚫어볼것만 같았다. 귀까지 화끈거리는 느낌에 황급히 귀 뒤로 넘겼던 머리를 내렸다. 누군가가 지금 내 모습을 본다면 틀림없이 추궁당하는 좀도둑이라고 생각할 것이다.

"..?"

이상하다. 아무런 대답이 들려오지 않았다. 화가 난 걸까. 고개를 살며시 들자 팔짱을 끼고 빤히 내려다보는 민혁과 눈이 마주쳤다.

"반장, 나 피하는 거야?"

서운하다며 우는 흉내를 내는 민혁을 보며 웃음이 새어 나올 뻔한 것을 참았다. 동시에 이렇게 쉽게 기분이 풀려버리는 것이 너무 분해 짜증이 났다.

"나 바빠."

뒤에서 당황한 듯 날 부르는 목소리가 들렸지만 무시했다. 아마 그는 모를 것이다. 내가 뒤돌아 가며 속으로 얼마나 많은 후회를 했는지.

"야 너 혹시 그거 들었어..?"

뜬금없는 두서에 예지를 쳐다봤다. 계속 얘기하라는 뜻이었다. 한참 나의 눈치를 보던 예지는 어렵게 입을 떼었다.

"차민혁.."

뜬금없이 민혁의 이름이 예지의 입에서 나오자 귀가 쫑긋 섰다. 왠지 불안한 느낌에 마른침을 삼켰다. 그 모습을 보던 예지는 한숨을 쉬며 말을 이었다.

"차민혁, 한유라랑 사귄대."

"뭐??"

자리를 박차고 일어나자 반 아이들의 시선이 한숨에 집중되었다. 망치로 한 대 머리를 맞은 듯 했다. 머릿속이 백지가 된 것처럼 아무런 생각도 할 수 없었다. 아니, 사실은 이미 예상했을지 모른다.

"..차민혁, 지금 어디있어?"

그의 입으로 직접 듣고 싶었다. 그동안 함께 나눴다고 생각했던 감정들이 전부 나 혼자만의 착각이었다면, 그랬다면 적어도 이번만큼은 솔직한 그의 마음을 보고 싶었다.

"뭐? 이연지 잠깐만, 야!"

"걱정하지 마, 나 걔 잡으러 가는 거 아니야."

"나랑 얘기 좀 해."

여자애들과 놀고 있던 민혁의 앞으로 가 무작정 민혁의 손목을 잡고 학교 뒤편으로 데려왔다.

"갑자기 무슨 얘기? 고백이라도 하게?"

민혁이 장난스럽게 웃었다. 막상 말을 하려니 도저히 입이 떨어지지 않았다. 자신의 장난에도 아무런 반응이 오지 않자 민혁은 금세 장난기를 거두곤 표정을 굳혔다.

"응. 나 너 좋아해."

그냥 평범한 대화인 듯 툭 내뱉었다. 이런 말을 이렇게 하게 될 줄은 몰랐는데. 그렇게도 꺼내기 어려웠던 말이 내뱉으니 별 거 아닌 것처럼 느껴져 조금은 허무하기도 했다. 하지만 민혁은 아닌듯했다. 흔들리는 민혁의 눈동자와 마주쳤다. 항상 능글거리기만 하던 그에게선 보기 드문 표정이었다.

"우린 그냥 친구.."

당황하며 말을 더듬는 민혁을 보자 오히려 마음이 차분해졌다.

"너한텐 이런 게 친구라면, 나는 못 해주겠어. 니 친구."

더이상 그의 친구놀음에 맞춰주고 싶지 않다. 그동안은 포기하기가 그렇게도 힘들었는데 이젠 내가 어떻게 해야 할지 조금은 알 것 같다.

"연지야"

"그냥, 좋아했다는 거 말해주고 싶었어. 같은 마음이었다고 생각했는데, 너는 아니었던 것 같네. 갈게."

벙쪄있는 민혁에게서 돌아섰다. 화가 나진 않았다. 오히려 후련한 기분마저 들었다.

어장 끝.

제 3 화 정말로 더웠던

1. 시작은 역시나

3학년이 된 3월, 나는 3반에 배정되었다. 오랜만에 교복을 입은 채 새학기의 설렘을 느끼며 나는 교실에 들어섰다. 낯선 교실에 익숙한 인영들이 보였다.

또 데자뷰가 느껴졌다. 어떻게 계속 이렇게까지 똑같은지 모르겠다.

"아 또 너 나랑 같은 반이냐?"

"좀 그만 보고 싶은데. 너 나 좀 그만 따라다녀."

"뭐래? 헛소리도 참 재주다. 네가 피하던가."

창가 자리에서 채라윤과 최로운이 다투는 소리가 들려왔다.

아.. 또 얘네랑 같은 반이구나. 나랑 라운, 로운은 지금 3년 째 같은 반이다. 슬슬 떨어질 때도 되지 않았나 싶으면 우리들은 항상 같은 반이었다. 그래서 우리는 그때부터 스스럼 없는 친구 사이로 지내고 있었다. 그렇게 이 상황은 마치 새학기를 알리는 하나의 증표같은 것이 되었다. 내년엔 고등학생이라 이런 일상이 마지막일지도 모르니 그냥 즐기기로 했다.

왜, 피할 수 없으면 즐기라 하지 않는가.

"한결이도 또 우리랑 붙었네?"

"안녕."

나를 보자마자 그들은 다툼을 멈추고 나에게 인사를 했다. 그들의 사이는 진짜 몇년 째 똑같았다. 나는 익숙하게 시끄러운 대화를 피해 그들에게서 적당히 떨어진 자리에 앉았다. 아무리 그래도 피할 수 있으면 피해야지.지나쳐 온 쪽에서 나를 소리쳐 부르는 소리를 가볍게 무시하며 나는 창문으로 먼 산을 보았다. 새학기 개학 날인데도 날씨가 우중충 한 것이 영 별로였다. 괜시리 기분이 우울해지는 것 같았다.

시작부터 날씨가 삐걱대지만 나까지 삐걱거리진 않겠지. 그 순간의 30분 종소리를 시작으로 이 생각은 거기서 멈추었다.

한 달이 지나고, 반 애들끼리도 서로 친해져서 교실이 한껏 시끄러워질 무렵이었다. 주변에서 들리는 소음들을 애써 무시하며 나는 잠을 청했다. 어제 너무 늦게 자는 바람에 1교시를 놓치고 말았다. 나머지 교시들까지 놓칠 순 없지. 한시가 아까우니 조금이라도 자기 위해 자세를 고치는 순간,

"저기, 한결아."

채라운이었다.

"어..왜…?"

졸린 눈을 비비며 다시 일어났다. 왜 하필 이럴 때 나를 찾는거냐고. 하품을 늘어지게 하며 라운을 쳐다보았다. 그녀는 나를 보며 빙긋 웃었다. 뭘까, 이 웃음은. 내 표정이 그렇게 웃겼나? 그녀가 그렇게 잘 웃는 편도 아닌 걸 알기에 의구심부터 들었다.

"나랑 이따가 학교 끝나고…같이 영화 보러 가지 않을래? 이번에 신작 개봉 했대."

라운이 기대에 찬 눈빛을 보냈다. 영화라…안 본 지 오래되긴 했다. 그동안은 딱히 볼 만한 게 없었으니까. 근데 오늘 내가 시간이 있었던가? 아직 한달 밖에 안 지났다지만 나는 할 게 너무 많았다. 쏟아지는 숙제와 수행평가는 작년보다 나를 더 힘들게 했다. 곧 중간고사가 다가와서 인지 하루에도 하나 이상씩 수행평가가 있곤 했다. 남아 있는 수행평가들을 해결하려면 나는 오늘 하교 후 에도 자료조사를 하고 미리 초안을 적어놔야 했다. 미안하지만 어쩔 수 없었다.

어차피 꼭 나랑 봐야 할 이유는 존재하지 않을테니까.

"미안해, 나 오늘 숙제가 좀 많아서 안될 것 같아. 다음에 보러 가자."

"아 그래?..어쩔 수 없지..숙제 열심히 하고."

라운이 뒤돌아서 교실 밖으로 나갔다. 얼핏 본 표정이 가라앉아 보였다. 그렇게까지 영화를 보고 싶었던 건가? 신작이면 오늘 꼭 안봐도 될 텐데. 근데 왜 이걸 나한테 보러가자 한 거지? 이유를 몰라 나는 멍하니 그녀가 나간 문을 바라 볼 뿐이었다. 덕분에 잠이 싹 날아갔다. 이번 쉬는 시간에 자기는 그른 것 같았다.

그 날 점심시간, 저 멀리 복도에서 로운이 나를 불렀다. 얘는 날 부를 때마다 별 시덥지도 않은 이야기를 늘어놓는 편이라 별 기대도 안하고 갔다. 하지만 오늘은 뭔가 달랐다. 마치 나 자체를 꿰뚫어보는 눈빛을 하고 있었다. 그 눈빛과 달리 평소와 다름없는 담담한 목소리가 내 귀로 흘러 들어왔다.

"요즘 채라운한테 뭔 일 있냐? 걔 요즘 유난히 가라앉아 보이던데."

흠..그랬던가? 볼 때마다 자거나 공부만 하고 있긴 했지만 내 눈에는 평소보다 그다지 가라앉아 보이는 게 없었다. 오히려 나한테 유난히 말을 많이 걸어왔다. 수행평가에 휩쓸리는 나에게 조언을 해주거나, 자료조사를 함께 해주기도 했다. 그래서 라운이 참 고맙긴 했다.

"나도 몰라. 근데 그걸 나한테 물어보는 이유가 뭔데? 네가 모르는 거면 나도 모를 걸?"

하지만, 딱 그 정도였다. 요즘따라 유난히 다가오는 그녀가 나는 참 낯설었다. 작년에는 하지 않았을 말, 행동, 몸짓이 나를 혼란스럽게 했다. 무슨 의도인 지도 모르겠고, 알아도 어떻게 해야 할 지도 모르겠다. 그냥 이대로가 제일 나을 것 같았다.

그냥 친한 여자 사람 친구. 우리는 항상 서로가 그런 관계였기 때문이다. 예상치 못한 변화는 그대로 완전히 사양하고 싶었다. 그런 생각을 하던 도중에 어느 한마디가 내 귀에 박혔다.

"친구니까 해주는 말인데, 너 눈치 좀 키우는 게 좋겠다. 나중 가면 너 그대로 땅 치고 후회할 지도 몰라."

".그게.. 무슨 말이야? 나 혹시 뭐라도 잘못 말했어?"

"됐어. 그냥 잊어버려. 모르면 말고."

그 말을 끝으로 로운은 칼같이 돌아 복도 끝으로 걸어가버렸다. 이러한 분위기도 그렇지만, 그의 뒷모습이 참으로 낯설었다. 나는 뭐라 할 말도 찾지 못한 채 그대로 어벙벙하게 혼자 남은 복도에 서있었다.

왜냐하면 그가 나에게 이런 진지한 충고를 한 것은 처음에 가까웠기 때문이다.

2. 뒤바뀜

어느새 벚꽃들이 피어나기 시작했다. 반 창문만 바라봐도 벚꽃이 흩날리는게 눈에 들어왔다. 애들이 한창 창밖을 바라보며 시선을 교과서에 두고 있지 않을 때, 나는 교과서를 뚫어져라 보고 있었다. 이제 곧 시험기간이기 때문이다. 이번엔 로운이라도 이겨보고 싶은데 아무래도 무리일 것이다. 내가 공부 2등을 어떻게 이겨. 저번엔 호기롭게 내기에 응했다가 카페에서 먹어보지도 않은 디저트까지 내 돈으로 쐈으니 말 다했다. 이번엔 절대 그런 내기는 하지 말아야 겠다.

그런 잡 생각을 하다 문득 고개를 들자, 시선 끝에 채라윤이 보였다. 로운을 공부로 이기는 특이한 놈. 라윤의 성적은 항상 로운의 위였다. 나는 많이 맞아보지도 못하는 점수로 그들은 항상 나의 위쪽에서 우열을 다퉜다. 예전에는 부러워서 분했는데 이젠 그냥 체념해버렸다. 아무래도 나한테는 무리인 점수였다. 언제나 처럼 이번에도 똑같겠지 생각하며 나는 남은 수업에 더 집중하기로 했다. 이제는 조금이라도 그들을 따라가리라고 마음 속으로 다짐했다.

계속 친구 둘한테 같은 성적으로 가로막혀 있는 걸 이번엔 내 자존심이 허락하지 않았다. 고등학생이 되기 전에 최고 점수는 찍어봐야지 않겠는가. 마음만큼은 어떤 과목이든 다 할 수 있을 것 같았다. 그리고 나는 이 생각을 현실로 만들고 싶었다.

"이번에도 내기하실?"

"넌 내가 바보인 줄 알아? 이제 너랑은 안해. 내 돈은 지켜야 할 거 아냐."

　로운과 시시콜콜한 대화를 나누며 독서실로 향하는 길이었다. 시간은 빠르게 지나 내일이 바로 시험 당일이었다. 그동안 얼마나 교과서를 뒤적거리며 열심히 준비 했는지 모른다. 하루도 빠짐없이 학교가 끝나자마자 독서실로 출근해 어둑해져 배가 고파질 때 쯤 나왔다. 하루하루마다 무지하게 포기하고 싶었지만 확실하게 마음을 다잡으니 책이 술술 읽혔다. 내 열정과 끈기가 아직 죽진 않았나 보다. 이번 시험은 역대 최고 점수를 갱신 할 수 있을 정도라고 생각할 정도니 말이다.

　독서실에 도착하니 역시나 사람이 바글바글 거렸다. 인근 중학교들은 전부 시험기간이 비슷한 탓에 조용하다고 해도 사람은 꽉 차 있었다. 겨우 구석에 자리를 잡고 가방 안을 무겁게 채우던 책들을 꺼냈다. 마지막까지 최선을 다하기 위해 필요한 요약본들을 쭉 훑어보고 그동안 틀린 문제들을 다시 한 번 풀 계획이었다. 가출하려하는 정신을 붙잡고 글씨를 읽어나가기 시작했다. 옆에 있는 이 친구라는 놈은 공부를 하는 건지 자는 건지 모를 정도로 바짝 엎드려 무언가를 끊임없이 쓰고 있었다. 그 광기에 다시 돌아온 정신으로 우리는 그날 오후를 불태웠고 다시 나왔을 땐 둘 다 펜을 잡아 붉어진 손가락과 함께 지친걸음을 내딛었다.

"아..살려줘. 골 울리는데 뭐 단 거 없냐?"

"저기 편의점 있네..차가운 거라도 입에 물어야 되겠어.."

죽을상으로 편의점에 들어갔다가 우리는 둘 다 아이스크림을 입에 물고 풀린 얼굴로 나왔다. 시험 끝나면 무얼 하고 놀지 이야기를 나누며 어느새 캄캄해진 길을 걸어 집으로 돌아왔다. 오늘은 이만하고 컨디션을 위해 잠들어야겠다 할 때, 핸드폰이 울리며 환한 빛이 새어나왔다. 막 자려고 한 순간에 일어난 일이라서 나는 올라오는 짜증과 함께 그냥 핸드폰을 무시했다. 다행히 그 다음부터 연락이 오지 않았기 때문에 제대로 된 잠을 잘 수 있었지만, 하필 다음날 부터 시험인지라 나는 계속 그 알림을 확인 하지 못했다. 그렇게 계속 그 알림의 존재는 잊혀져 기억했을 때는 이미 알림을 지워버린지 오래 였다. 그리고 그 때는 이미 중간고사 마지막 시험이 끝난 그 날 오전이었다.

'와 이게 내 점수라고? 나 이번에 좀 잘 본것 같은데.'

모든 시험이 끝나고 가채점을 하면서 본 내 점수들은 다 작년보다 확실하게 올라있었다. 이번 시험이 3학년 첫 시험이라 더 열심히 했더니 점수는 나를 배신하지 않았다. 거봐, 역시 하면 된다니까. 나도 이제 이 높은 벽들 사이에서 자신감이 생긴 것 같았다. 내 점수에 한창 신나있는데 옆에서 말소리가 들려왔다.

"아싸! 이번에 채라윤 이겼다!"

"한 번 실수한 건데 되게 좋아한다? 아 내 연속 콤보 다 깨졌네 진짜."

"야 백한결 나 이번에 얘 이김. 대박."

어? 채라윤이 졌다고? 최로운한테? 이건 좀 뜻 밖의 일이었다. 내가 아는 라윤은 시험 기간이 아니어도 항상 책을 손에서 놓지 않는 지독한 모범생이었기 때문이다. 반면, 로운은 놀땐 심하게 놀고 책은 시험기간에만 잡는 벼락치기의 장인이었다. 그래서 항상 라윤한테 조금 뒤쳐졌었는데… 무슨 심경의 변화라도 생긴건가? 라윤을 빤히 쳐다보자 그녀는 고개를 돌려버렸다. 표정이 안 좋았던걸로 보아 진게 기분이 상한 모양이었다. 하긴 맨날 이기다가 지면 기분이 상할 만도 할 것 같다. 나는 그래봤자 높은 점수에 만족했겠지만 말이다.

"님들 근데 오늘 놀 거임? 시험 끝났잖아."

"글쎄. 아마 그렇지 않을까?"

"니네 둘 끼리만 놀아. 나는 내 연락 씹은 누구 때문에 오늘은 별로~."

어? 연락을 한게 채라윤이였던 건가? 이 지독한 공부쟁이가 하필 시험 전 날에 나한테 연락을? 들자마자 내 머리는 비어지고 표정은 그대로 굳어버렸다. 너무 예상 밖의 일이라서 나는 다시 한 번 물어보았다.

"혹시 그거 나냐? 네가 나한테 시험 전날 한밤중에 연락을 했다고?"

"전에 영화 나중에 보재서 시험 끝나고 보러갈 거냐고 했더니 네가 그대로 씹고 보지도 않았잖아. 평소에는 연락도 잘 보는 애가 시험 전 날이라고 그대로 끝까지 안 보던데."

나는 그대로 얼굴이 차게 식어버렸다. 표정이 어떤지도 잊어버렸지만 걱정의 말이 나온 것을 보니 아마 어두었던 모양이다.

혹시 시험점수라도 망한 것이냐 물어보는 그들을 물린 채 나는 그 자리를 빠져나왔다. 예전과는 너무나도 달라진 그녀의 행동들이 쌓여서 나는 결국 혼란스러움이 폭발해 그 자리에서 도망쳐 나왔다. 심장소리가 온몸으로 느껴져서 주변에도 다 들리는 것 만 같았다. 어렴풋이 뒤에서 그들의 말소리가 들려왔다. 연락을 무시한 것에 대해서도 미안하다고 했어야 했는데 차마 떠올릴 정신도 없었다.

　나는 모든 말들을 무시한 채 달려서 그대로 집안에 스스로를 던져놓았다. 알 수 없는 불안감만이 나를 휘감아 올랐다. 그동안 보았던 라윤의 이상할 정도로 적극적인 행동. 처음 받아보는 로운의 지적같은 충고. 그 모든 것이 가리키는 곳에 해답이 존재할 것 같았다. 하지만 나는 해답에 관한 실마리 조차 제대로 풀 지 못했다. 아니, 영원히 풀 지 못할 지도 모른다. 확실한 것은 나만 모르는 그 둘 간의 무언가가 존재한다는 것이다. 원래부터 라윤은 나보단 로운과 자주 어울렸으니까 가능성이 없는 것도 아니었다. 나는 이 관계의 변화가 두려웠다. 라윤이 나에게 더 가까워지고 상대적으로 로운은 더 멀어진다. 원래 사람의 마음은 알 수 없으니까 이런 일이 있는게 이상할 것도 아니겠지만, 적어도 우리에겐 그런 일이 없을 줄 만 알았다. 참으로 바보같은 생각이었다.

3. 직면과 결심

시간은 참 빠르게만 흘러갔다. 중간고사가 끝난 다음 날 부턴 난 아무일도 없었다는 듯이 행동하려고 노력했다. 수업시간엔 공부를 하고, 쉬는 시간에는 반 밖으로 나가거나 그대로 엎어져 잠을 잤다. 물론 전과 다른 일상도 존재했다. 나는 최대한 달라진 친구관계에 적응해 보려고 했다. 계속되는 라윤의 적극적 행보에도 당황하지 않고 받아줄 수 있게 되었으며, 묘하게 멀어진 로운과의 관계도 여유를 가지고 지켜보게 되었다. 아마도 나는 이 일상도 계속 될 것이라 믿었던 것 같다. 역시 사람은 같은 실수를 반복한다더니, 또 다른 변수가 있을 줄은 예상하지 못했다.

"나 두 달 뒤에 부모님 직장 따라서 외국으로 전학 가."

아. 이건 예상치 못했다. 그 동안의 모든 적극적인 행동은 다 마지막 표현이었던 것이다. 로운의 충고 또한 이걸 가리키는 것이었을까. 그리고 로운의 표정을 보니 그건 아니라는 걸 알게 되었다. 그는 꽤나 아쉽다는 표정으로 두 달 동안 재밌게 지내보자고 말했다. 항상 상황을 정면으로 돌파하는 그의 태도가 참 대단하게만 느껴졌다. 나도 그대로 대화를 이어가보려 노력했지만 그러지 못했다. 왜일까. 너무 아쉬웠던 것일까. 하지만 그것 뿐 만은 아닐 것 같다는 생각이 강하게 들었다.

'그 동안의 불안감은 이것 때문이었나.'

그 동안 여러모로 도와주고 같이 놀았던 친구의 갑작스러운 전학. 그 모든 이유와 배경을 알 지 못했던 나.

바로 그 순간 나는 내가 너무 한심하게 느껴졌다.

그 동안 혼란스러워 하면서도 계속 그녀의 행동들만 머릿속에 맴돌았던 이유는 하나였다.

내가 그녀를, 백한결이 채라운을 좋아했기 때문이었다.

바보같게도 나는 여태껏 깨닫지 못했다. 그녀가 나에게 처음 다가온 순간 부터, 두 달 뒤의 예정된 작별을 듣는 지금까지. 그리고, 로운의 서툰 진심이 담긴 충고를 들었던 그 때에도.

아마 그는 알려주고 싶었을 것이다. 나를 좋아해 다가온 그녀의 마음을. 그녀를 좋아하지만 아직 자각도 못한 나의 마음을. 제 3자였기 때문에 우리를 객관적으로 볼 수 있었고, 알아챘던 것이다. 그래서 자리를 피해준 것이었다. 그리고 그의 충고대로 난 진심으로 후회하고 절망하고 있었다.

"그래. 남은 시간동안 못 논 거 다 놀고 가."

하지만 이대로 후회만 하고 있을 순 없었다. 이대로 남은 게 작별 뿐이라면, 겨우 자각한 사랑도 차근차근 보내줘야 했다. 외국에 있어도 연락은 할 수 있겠지만, 몸이 멀어지면 마음도 멀어진다는 말이 괜히 있는 말이 아니었다. 그만큼 어렵고 힘든 일이니까 그럴 것 이다. 그렇다면 차라리, 남은 시간동안 진심으로 잘해주고 끝에 미련없이 훌훌 털어버리는 게 나았다. 후유증은 오래 가겠지만 결국엔 나아질 것이다. 그 때를 떠올리며 마음껏 웃을 수 있을 만큼.

이제 그녀가 보여준 용기대로, 나도 보답을 해야 할 차례였다.

　나는 남은 시간동안 착실하게 라운과 같이 시간을 많이 보냈다. 같이 카페에 가보기도 했고, 게임을 하러 가기도 했었다. 이제 진짜 미뤄뒀던 영화를 보러 같이 가는 날이었다. 그 때 보려고 했던 영화는 이미 영화관에서 상영이 종료되어서 새로 나온 영화를 보러 가기로 했다. 평소보다 묘하게 들떠보이는 그녀를 마주쳤다. 단 둘이 만난 우리는 어색한 발걸음으로 영화관에 갔다. 티켓을 뽑고 팝콘을 살 때 까지 별 다른 말이 오가지 않았다. 막상 같이 영화를 보려고 하니 긴장이 되서 떨려왔다.

"우리 옆 자리 앉는 거 맞지?"

다만 라운은 꽤 담담해보였다. 곧 떠나니까 체념한 것인지, 그녀는 나를 이끌어 영화관 좌석에 나란히 앉도록 했다. 이때까지도 나는 무슨 영화가 나올지 알지 못했다. 영화는 그녀가 정했고, 내가 모르는 영화였기 때문이다. 곧 불이 꺼지고 영화가 시작되었다. 처음 보는 제작사, 처음 보는 오프닝, 그리고 영화의 장르는 내가 잘 보지도 않는 로맨스였다.

　내용은 별 다를 게 없었다. 처음 만난 남녀가 한창 썸을 타다가 외부의 상황에 의해 서로 헤어진다. 그리고 변하지 않는 둘의 사랑으로 다시 재회하게 되는 진부한 내용의 해피엔딩. 세상의 모든 사랑들도 이랬다면 얼마나 좋았을까. 영화는 우리의 상황과는 반대로 흘러갔다. 우리에겐 달달한 애정의 말도, 행동도 오가지 못했으니까. 그리고 재회한다는 말도 머나먼 이야기이다. 그래도 라운은 꽤 재밌게 보는 모양이었다. 그녀가 고른 영화니 그나마 다행이라고 생각했다.

"오늘 영화 어땠어?"

그녀가 조금 떨리는 목소리로 물었다.

"나는 로맨스 영화를 잘 안 봐서 모르겠지만, 그래도 꽤 재밌었던 것 같아.

"그래? 다행이다."

꽤나 설레 보이는 그녀의 말투가 내게로 흘러들어왔다. 그렇게 말하는 얼굴이 퍽 예뻐보였다. 나는 그녀를 향해 그저 웃어줄 수 밖에 없었다. 무언가 간질간질한 느낌이 계속 들어왔다. 막상 영화를 볼 때에는 우리와 너무 달라서 제대로 즐길 수 없었는데, 그 조차도 옆에 있는 사람의 표정을 보면 눈 녹 듯이 사르르 풀어져 버린다. 자신이 좋아하는 것을 보며 순수하게 좋아하는 얼굴. 그 얼굴을 보기만 하면 나까지 이에 녹아들어 머리가 한 없이 맑아진다. 모든 걱정들도 한 순간에 사라지고 만다. 결국 이 마음은 점점 커져서 내 온몸마저 지배하게 되었다. 자각한 감정은 손 쓸 수 없을 만큼 커지고, 나는 도저히 이 마음을 외면할 수 없게 되었다.

그렇게나 다짐했는데, 그렇게나 눌러왔는데, 한 순간에 모두 소용없어져 버렸다. 계획이 모두 실패로 끝난 지금, 나는 어떻게 해야 하는 것일까.

하지만 아무리 생각해봐도 이 감정을 가지는 방법 말고는 생각이 나지 않았다. 그녀는 옆에서 기분 좋은 목소리로 영화 내용을 재잘거렸다. 그래서, 그냥 오늘은 즐기기로 했다.

영화관 밖은 햇빛이 예쁘게 내리는 오후였다. 햇빛에 비쳐 날아가는 나뭇잎들이 반짝거렸다. 길을 걷는 내내 바깥은 좋은 분위기를 형성하고 있었지만, 나는 그 조차도 제대로 느끼지 못했다.

함께 걷는 이 순간이 너무 좋아서. 들리는 행복한 목소리가 아름다워서. 그냥, 다 좋았다.

그래서 나는 하늘에 진심으로 빌었다. 오늘이 이대로 영원히 멈춰 버리게 해달라고 그저 빌었다.

4. 커다란 한방

　어느덧 영화관 사건은 꽤 오래된 일이 되고, 시간은 지나 여름이 찾아왔다. 긴팔이 반팔로 바뀌고, 날씨는 무더워져 반은 선풍기와 에어컨 바람으로 꽉 차게 되었다. 나는 그 이후로도 계속 라윤을 좋아하고 있지만, 표현은 하지 못했다. 지금 당장이라도 마음을 밝혀 버리는 것이 더 편할지도 모르겠다만, 이제는 함께 할 수 있는 시간이 정말 얼마 남지 않았다. 무엇보다도, 나는 평생에 연인은 커녕, 고백조차 해보지 않은 모태솔로였다. 이런 내가 어떻게 망설이지 않고 사랑을 말할 수 있겠는가.

'다 짜증난다 진짜…'

　내 앞을 가로막는 모든 게 다 끝났으면 좋았겠지만, 안타깝게도 기말고사라는 큰 벽과 수행평가라는 작은 벽들이 내 앞을 가로막고 있었다. 그리고 그 길의 끝에는 라윤과의 작별이 기다리고 있었다. 손에서는 책을 놓지 않고 있지만, 머릿속은 다른 생각들로 인해 복잡해졌다. 당장 해야할 것들은 산더미인데, 아무것도 눈에 들어오지 않았다. 지금 이 순간 만큼은 사랑을 자각하지 않으면 좋았을 걸 하고 생각했다.

"야, 너 고백은 할거냐."

　이 자식은 또 언제 알아챘는지 내가 이러고 늘어져 있을 때마다 내 옆에서 알짱거렸다. 하여간 이런 눈치는 빨라가지고.

근데 얘는 진짜 공부 안 하나.

"몰라. 이제 남은 시간도 얼마 없는데 고백해서 뭐하겠어. 남은 게 이별인데."

그러자 뜬금 없는 소리가 들려왔다.

"근데 그건 모르는 일 아니냐? 최라윤이 외국으로 간다고 해도 연락 정도는 할 수 있잖아. 그리고 혹시 모르지. 걔는 한국에 두고 갈지."

하.. 이 낭만파 진짜. 로운은 이런 상황에선 정말 낙관적이었다. 자기 상황이 아니라서 이러는 건지, 원래 성격이 이러는 건지. 본인 말로는 자신은 운이 좋아서 그런 경우가 많다나 뭐라나. 내가 어이없다는 표정으로 바라보니 그는 갑자기 일어서서 나를 내려다 보았다. 갑자기 생긴 그림자에 위를 보자 그와 눈이 딱 마주쳤다. 그러자 그가 말했다.

"내가 너였으면 그래도 고백 한번 정도는 해봤을 것 같은데. 직관적인 거 말고 간접적인 거 있잖아. 알아채면 좋고 몰라도 그만인거."

바로 머릿속이 물음표로 가득찼다.

"그런게 어딨어. 애초에 모든 고백이 직관적이니까 알아채는 거 아냐?"

나의 말을 들은 로운이 급 진지한 표정으로 말했다.

"이 모쏠아, 내가 친히 알려주마. 사랑이 무조건 성공하는 게 아닌 건 알지? 그래서 사람들은 은근하게 티내기도 해. 그 사람이 힘들 때마다 도와준다던가, 지나가는 말도 잊지 않고 기억해

준다던가. 그런 순간들이 모여 사랑의 가능성을 높혀주는거지. 근데 이건 지속적이여야 해서 너 같은 경우는 커다란 한방을 날리는 게 더 효과적일 것 같다. 내가 주는 힌트는 여기까지. 이제 네가 알아서 잘 해봐. 결정은 네 몫이니까. 그럼 이만."

"뭣, 야!!"

그렇게 로운은 의미심장한 두번째 충고를 남기고 제 갈길을 갔다. 아니, 그냥 자신의 책상에 엎어져 잠들어 버렸다. 하여간 특이한 놈이다.

'커다란 한방이라…그게 대체 뭘까?'

그나마 연애경험이 있는 로운의 말을 나는 곱씹어 보았다. 그의 말의 맥락을 짚어보면, 사소한 걸로 표현하기 보다는 더 큰 걸로 표현 하라는 것일 테다. 근데 나한테 그렇게 알려줘도 알 것이라 생각했나. 그가 나를 너무 과대평가한 것 같았다. 고민하며 걷던 나의 눈에 어떤 물건이 하나 들어왔다.

"팔찌..?"

그건 심플한 모양에 영롱해보이는 푸른 구슬이 달린 팔찌였다. 유행도 타지 않아 보이고 바로 끊어질 정도로 약해 보이지도 않았다. 나는 홀린 듯 그 팔찌를 집었다. 옆에 다른 색깔들도 있었지만 왠지 나는 처음 본 푸른색이 끌렸다.

"엑, 가격이…"

다만 문제는 가격이 좀 비싸보였다. 내가 남한테 줄 악세사리를 사본 적은 없어서 잘 모르겠지만, 내 기준에선 확실히 싼 편은 아니었다. 그래도 나는 그 팔찌를 사기로 마음먹었다. 계산

대로 가져가니 직원분은 예쁘게 포장도 해주셨다. 이래서는 너무 고백하러 가는 사람 같아보였다. 아무래도 내가 남자다 보니 연인한테 주려고 사는 것 처럼 보였던 모양이다. 그래도 이왕 샀으니 주긴 줘야 할 것 같다. 어차피 로운이 얘기한 커다란 한 방이라는 것도 이런 것이 아니면 생각 나지도 않았다.

'그래도 받을때 좋아해줬으면 좋겠다.'

　이건 내가 그녀에게 줄 처음이자 마지막 선물일지도 모른다. 작고 초라해 보일지 몰라도 나에게는 눈에 딱 들어온 알맞은 물건이었다. 누군가를 위해 처음 사본 마음이 담긴 팔찌. 분명 잘 어울릴 것이라고 생각하며 나는 가벼운 발걸음으로 상점에서 나왔다.

...

"근데 너 나 왜 도와주는거냐? 너도 지금은 솔로잖아."

"푸웁-"

　내가 날린 급격한 팩트에 로운은 마시던 음료를 뿜을 뻔 했다. 공부하다 보니 갑자기 궁금해져서 물어본 것 뿐인데 적잖이 당황한 모양이었다.

"갑자기..그건 왜 물어보는 거지?"

"친구가 나는 솔로인데 연애한다고 하면 보통 짜증내지 않냐? 근데 너는 도와주고 있잖아. 신기해서."

그러자 그는 지친 표정으로 말했다.

"별 이유는 없어. 당분간은 나도 연애할 생각이 없기도 하고, 모쏠 친구가 모쏠 탈출 기미가 보이는데 그건 도와줘야지. 너도 언제까지고 연애도 못해보고 살 순 없잖냐."

새삼 그가 연애선배라는 게 느껴졌다. 안 그러는 사람도 많은데 나같은 초짜도 도와주다니.. 꽤나 대인배였다.

"오..감동적이고 고맙긴 한데, 좀 징그러워."

"말하고 보니 나도 징그럽다. 다음에는 제발 네가 알아서 하길 바란다. 답답해서 도와줄 일 없게."

그는 질색이라는 듯 말했다. 그래도 표정을 보니 나쁜 기분은 아닌 것 같아 보였다.

"걱정 마라. 나도 이제 어떻게 해야 할지 알 것 같으니까, 잘 되면 한턱 쏠게."

나는 자신만만한 표정으로 말했다. 결전의 순간이 다가오고 있었다. 나는 그것을 직감하며, 어두워질 때까지 남은 공부를 마저했다.

5. 너에게

　오늘은 라윤이 떠나기 전 마지막 날이다. 그 많던 수행평가와 기말고사도 나는 괜찮은 성적으로 마무리 지었다. 이제 여름방학만이 남아 있었지만, 나에겐 그게 중요한 것이 아니었다. 마음의 준비는 며칠 전에 이미 끝냈다. 얼마 전에 사 두었던 팔찌를 나는 그날 학교가 끝난 후에 그녀에게 전해주었다. 외국 가서도 잘 살라는 말과 함께. 미련이라는 게 뚝뚝 떨어지는 것 같았지만, 나는 여기서 그만 하기로 며칠 전 준비하며 이미 결심했다.

"정말 고마워. 소중히 간직할게. 너도 알았겠지만, 그동안 나 너 많이 좋아했어."

　직접 듣고 나니 더 미련이 남았다. 하지만 나는 그냥 환하게 웃어보였다. 내 감정이 새어나가지 않게 하기 위해서. 절대 그녀를 붙잡지 않기 위해서.

"그래. 너는 똑똑하니까 외국에서도 적응 잘 할 수 있을 거야. 우리 이제 여기서 다 흘려보내자.. 다시 만나는 그날까지 잠시 접어두자.."

　말 하면서도 눈물이 날 것만 같았다. 나는 울음을 억지로 참으며 그녀를 힘껏 안았다. 내 마지막 욕망을 이 포옹에 다 쏟아부었다. 한번 끌어 안으니 쉽사리 손이 떼어지지 않았다. 이렇게나 행복한 감정인데도 나는 그녀를 포기할 수 밖에 없었다.

눈물이 났다. 한 없이 눈물이 났다. 그녀는 놀란기색 없이 나를 같이 안아주었다.

그렇게 한참을 뜨거운 포옹이 이어지다가 나는 있는 힘껏 손을 흔들며 눈물을 털어내고 웃었다. 그녀 또한 그랬다.

흔들리는 손에서 팔찌의 구슬이 눈부시게 반짝였다. 반짝이는 그녀와 아

주 잘 어울리는 모습이었다.

우리는 그렇게 이별했다. 기약없는 기다림만이 우리에게 남은 모든 것이 되었다. 하지만, 나는 꽤나 후련한 기분이었다.

정말로 더웠던 끝.

제4화 첫눈의 요정

1장 김유하

2023년 날씨가 점점 추워지는 어느 초겨울 날
"하....."
 나는 땅이 꺼질 듯 큰 한숨을 내쉬었다. 누가 봐도 속상해 보이는 표정을 지으며 집으로 가고 있었다. 그때 나와 6년 친구 임하연에게 전화가 왔다.

"여어보오세에요오.."
"야 너 뭐 죽냐? 무슨 사람 목소리가 죽어가냐 ㅋㅋㅋㅋㅋ"
"아 어쩌라고 왜 전화했어"

"아 그게 방금 니 남친 봤다 "

"엥...? 어디서?.."

"아까 링동 노래방 쪽으로 간던ㄷ "

　나는 순간 하연이의 말을 믿고 싶지 않았다. 아니 사실 안 믿었다.

내 머릿속은 물음표만 가득 차 있었고, 이게 무슨 상황인지를 생각했다. 나는 집으로 가는 발걸음을 멈추고 집 반대 방향 링동 노래방으로 뛰어갔다. 내가 미친 사람처럼 이 노래방에 온 이유가 뭐냐고? 오늘은 내 남자친구 연호와 오랜만에 데이트를 하는 날이었기 때문이다.

- 유하 : 연호~ 오늘 우리 오랜 만에 데이트하는 날이다!

- 연호 : 아 맞다 그러네..?

- 유하 : 준비는 다했어?! 우리 12시에 만나기로 했잖아

- 연호 : 아 그게.. 오늘 친구랑 중요한 약속이 있는데 얘기 못했네..

- 연호 : 미안 유하야 우리 다음에 데이트하자 미안해

- 유하 : 아..ㅜㅜ 알았어.. 친구 만나면 연락해~!

　나는 이 문자와 노래방 간판을 여러 번 보며 헛웃음을 쳤다.

"하 그 중요한 약속이 노래방 약속이라고..? 진짜 너무한 거 아니야..?"

금방이라도 울 것 같은 맘을 부여잡고 숨을 크게 쉬었다. 그리고 완벽하게 노래방에 들어가 연호를 찾기 위해 도둑처럼 힐끔힐끔 조심히 찾아보았다. 그때 누군가 나의 이름을 불렀다.

"김...유..하?"

난 그 소리를 듣자마자 마음에 큰 돌이 쿵 떨어진 느낌이었다. 조심히 뒤를 돌아보니 그 이름을 불렀던 사람은 바로 내 남자친구 이연호였다.

"뭐야.. 네가 왜 여기에 있어?"

나를 처음으로 보자마자 하는 말이 그거라니. 목에서 폭탄이 터질 것 같은 느낌이 드는 순간 오랜만에 봐도 잘생긴 연호의 모습에 그런 맘은 스르륵 솜사탕처럼 사라져 버렸다. 그래서 그런가 난 자기도 모르게 거짓말을 했다.

"하하.. 나 노래 부르러 왔지... 근데 너 중요한 약속 있다며.. 왜 여기 있어..?"

연호는 살짝 당황하더니 침착하게 얘기했다.

"아... 그게 중요한 약속 갑자기 취소되서 온거야 너한테 연락하려고 했는데 깜박했네, 미안"

"아.. 그래? 그럼 지금 시간 있어? 그럼 나 집까지 데려다줘라"

연호는 잠깐 말이 없더니 알겠다고 했다. 난 웃음이 실금실금 나올 뻔했지만 금방 숨긴 채 연호를 쫄래쫄래 따라갔다. 하지만 기쁨도 잠시 우리는 집에 가면서 아무 말도 하지 않고 정적에 갇혀있었다. 그 정적은 말로 설명할 수 없을 정도로 고요하고 벗어나고 싶은 정적이었다. 나는 그런 분위기가 너무 싫어서 연호에게 계속 지어낸 이야기를 하기 시작했다. 이상한 행동도 추가하면서 나만 신나게 웃었지만. 그래서 그런가 연호는 폰만 보면서 아 그래? 라는 말밖에 하지 않은 것 같다.

나는 그 순간 어디든지 간에 무조건 숨고 싶다는 생각이 들며 현타가 와 너무 창피해서 신나게 떠들던 모습을 쏘옥 숨기고 조용히 걸었다. 그때 연호가 나한테 말을 걸었다.

"오늘 추운데 왜 그렇게 입고 왔어?"

"아.. 안 추워 걱정하지 마!"

이 옷 연호에게 잘 보이려고 입은 건데. 그것도 모르고. 나는 아까 전부터 기분 나쁘게 울렁울렁거리는 마음을 삼키고 다시 길을 갔다. 시간이 흐르고. 내가 이상한 건지 지구가 이상한 건지 오늘따라 10분이나 걸어가야 하는 길이 5분밖에 안 된 느낌이 들었다.

"나 갈게 들어가"

연호가 뒤를 돌아서는 순간 나도 모르게 연호에게 소리를 질렀다.

"연호야!!!!!!"

연호는 깜짝 놀라며 나를 쳐다봤다. 잠깐이라도 얼굴 더 보고 싶어서 불러본 나는 불러놓고 멍청이처럼 아무 말도 못 했다. 난 또 정적이 흐르는 어두컴컴한 분위기가 다시 생기자 급한 마음에 아무 말이나 툭 던졌다.

"어..... 어... 그게.. 사.. 사랑해!!!"

아, 연호에게 다짜고짜 사랑한다고 고백을 해버렸다. 그것도 팔 하트를 하면서 말이다. 난 아까 전보다 훨씬 더 창피해 지구에서 사라지고 싶었다. 연호는 여전히 당황하더니 "나도"라고 말한 뒤 가버렸다. 나는 집으로 누구보다 빠르게 들어가 침대로 풀썩 뛰며 소리를 질렀다.

　"우리가 왜 이렇게 어색해지고 사랑이 안 느껴져 버린 걸까.."

　나는 순간 너무나 슬퍼서 그런가 자동으로 나온 눈물을 흘리며 연호와의 첫 만남을 떠올렸다. 우리의 첫 만남은 누구보다 더 달콤하고 아름다웠으니까. 우리의 첫 만남은 한겨울 첫눈이 내리던 날이었다.

2021년 초겨울날, 교실에 있었던 날이다.

"으.... 추워, 야 추워서 공부 못할 것 같아 내가 무슨 얼음공주도 아니고.."

"리얼.. 눈이나 내리면 모를까 눈도 안 내리는데 왜 이렇게 춥냐..."

"유하야 혹시 눈 올지도 모르니까 밖에 보고 있을래?"

"야 미쳤냐.. 히터 틀어도 추운 마당에?"

　하연이는 내 말을 듣지도 않고 잔뜩 신난 채 빛의 속도로 바로 교실 창문으로 뛰어갔다.

"야..! 춥다고 열지 말라고!"

나는 안 그래도 추워서 바들바들 떨고 있는데 하연이가 창문을 연다고 하니. 난 누구보다 간절하게 외쳤다. 근데 알아줄 일이 있나. 이런, 망할 나는 어떻게든 하연이를 말리기 위해 달려가려는데 하연이. 이 자식, 손이 얼마나 빠른지 창문을 벌써 열었다. 창문에서 엄청난 한기가 느껴지자 나는 그 자리에서 얼어붙은 동상이 된 기분이었다. 나는 푹 한숨을 쉬며 창문을 닫으려고 손을 뻗는 순간.

"와 미친 눈 내린다! 야 얘들아!! 눈 내려!!!"

하연이가 소리를 질렀다. 내 눈앞에는 하얗고 포근해 보이는 눈이 내리고 있었고, 오랜만에 본 눈이라 나도 모르게 멍을 때렸다.

"와... 이쁘다.. 첫눈을 이렇게 보다니.. 에휴, 이번에도 임하연이랑 같이 보네"

하필 내리는 이 첫눈은 사랑하는 사람과 꼭 봐야 할 것 같이 아름다운 눈이어서 더 더 아쉬웠다. 그래도 나는 혹시 몰라 학교 건물 창문을 바라봤다.

그 순간 한겨울과 너무나도 잘 어울리는 한 남자아이가 눈에 띄었다. 그 남자애는 나와 비슷하게 펑펑 내리는 눈을 보며 멍을 때리고 있었다. 눈처럼 하얀 피부와, 홍시 같은 홍조가 있었다. 내리는 눈과 정말 잘 어울려서 애니메이션의 한 장면이라고 생각했을 정도로.

"와 저 애 완전 내 이상형.. 미친 쟤 아냐?"

하연이가 갑자기 나타나 흥분하면서 얘기했다.

"아니.. 첨 보는데 그리고 쟤 별로 안 잘생겼는데 그냥 좀 생긴 정도?"

"엥 야 네가 잘 몰라서 그래, 요즘은 저렇게 마르고 키 큰 남자가 대세야;; 게다가 얼굴까지 캬... 완벽 그 자체"

 나는 저 남자애가 저게 잘생긴 건가 하는 의문이 생겼다. 내 이상형은 완전 여름 남자였기 때문이다. 피부가 무조건 까매야 되고 운동을 한 것처럼 몸도 좋고 시골에 살 것 같은 그런 남자를 좋아했기 때문이다. 임하연이 왜 저렇게 잘생겼다, 잘생겼다 하는지. 하지만 내가 이때까지는 이 남자애를 좋아하게 될 줄 몰랐고, 사귀게 될 줄도 꿈도 몰랐다.

 2학기 기말고사 15일 밖에 안 남은 한 겨울날, 스카에서 일어난 일이다. 그때는 그 애를 다시 한 번 마주친 날이었다. 그때도 눈이 내리는 날이었고, 시험도 얼마 안 남아서 스터디 카페에서 공부를 하려고 처음으로 혼자 갔을 때다. 나는 조용히 인기척 없이 스터디 카페에 도착했다.

"으 추워... 혼자 온 건 처음인데 개 어색하네"

"어? 저기"

 갑자기 누군가 덥석 내 어깨를 잡는 순간 나는 반사적으로 너무 무서워서 그 사람을 때리고 말았다.

"꺄!! 내 어깨에 손대지 마!!!"

"아! 아! 나 너랑 같은 학교야! 너 김유하 맞지?"

 우연인지 아닌지 내가 미친 듯이 때린 그 사람은 첫눈이 내린 그날 창문에 그 남자애였다.

"아.. 미안 너무 깜짝 놀라서 그랬어.. 근데.. 너 내 이름 어떻게 알았어?

그 남자는 옷을 툭툭 치더니 살짝 웃으며 얘기했다.

"그날 첫눈 온 날에 나 너 봤거든 그래서 애들한테 물어봤어 네 이름"

"어..? 왜???"

"아... 그냥... 같이 첫눈 봤으니까? "

같이 첫눈을 봐서? 나는 무슨 소리인지 몰랐다. 첫눈을 같이 봐서 내 이름을 물어봤다니 좀 이상한 애라고 생각했다. 누가 첫눈을 같이 봤다고 이름을 물어보나. 나는 그 애를 무시하고 스터디 카페에 들어갔다. 그 아이도 내가 들어가자 따라 들어왔다. 나는 애써 무시하고 내가 정한 자리에 앉아 공부에 집중을 하기 시작했다. 책을 딱 펴는 순간 대각선에 시선이 느껴졌다. 난 저절로 시선이 느껴지는 데를 봤는데 그 첫눈 남자애가 내 대각선 자리에 앉아 나를 쳐다보고 있었다. 그 애는 나를 향해 조심스럽게 손을 흔드며 웃었다. 인정하기 싫지만 그 애의 미소는 너무 이뻐서 눈처럼 샤르륵 녹는 느낌이였다. 그 뒤로 나의 온몸의 신경이 다 그 애한테 갔다.

"아 진짜 기말고사 얼마 안 남았는데.. 제발 집중하자.. 김유하.. "

시험은 얼마 안 남았고 내 집중력은 어디로 갔는지 사라져 버리고 내 마음은 온통 심란으로 가득 차 있기 시작했다. 자꾸 집중이 안 되는 탓에 나는 핸드폰이라도 봐야겠다고 생각했다. 내가 핸드폰을 켜자마자 본건 바로 인스타그램이다. 다른 사람 릴스나, 스토리 등등 인스타그램을 보는게 시간이 젤 빨랐기에 한창 활동을 했다.

 한창 활동 중 팔로우 추천에 한 이름이 떴다. 어디서 본 이름인데 아는 사람이 많이 팔로우를 했다고 떴고, 우리 학교 학생인가 싶었다. 문득 궁금증이 생겨버린 나는 프로필을 구경하던 중 마침 스토리를 올렸길래 얼굴이나 보자 싶어 스토리를 봤다. 그런데 웬걸? 그 계정에 주인은 내가 계속 피해 다녔던 그 첫눈 그 애였다. 이름이 이연호였고 역시 내가 학교 생활하면서 한 번쯤 들은 이름이었다. 솔직히 스토리 보자마자 나는 표정이 일그러질 정도로 경악했고 너무너무 소름이 끼쳤다. 어이쿠, 이런 세상에. 진짜 애랑 나는 뭐가 있나 싶은 생각이 들어서 그 애를 쳐다봤다. 그 애는 나처럼 핸드폰에 집중하고 있었고, 내가 쳐다보는 것을 눈치 못 챈 모양이었다.
 "와 이 정도면 운명 아니야..? 소름.. 잠만 뭐라는 거야 운명이면 안되지 하 미치겠네.."
 나는 얼른 정신 차려야겠다 생각하고 핸드폰을 내려놓았다. 그리고 책을 바라보는 순간
 띠링!!!!
 나의 핸드폰이 외로웠는지 아주 힘차게 소리를 내며 스터디카페에 엄청난 정적을 깨버렸다. 나는 너무 민망하고 창피해서 얼

른 알람을 끄려고 핸드폰을 켰는데 뜻밖에 알람이 날 맞이했다.

"뭐야.. 이연호 님이 당신을 팔로우했습니다..? 뭐..?"

그 첫눈. 아니 아니 그 이연호라는 애가 나를 팔로우 했다니 눈을 비비며 다시 확인을 했다. 분명 나를 안 봤는데 내가 스토리를 본 지 단 1분 만에 팔로우를 걸었다니 나는 순간 이마에 눈이 달렸나 하는 이상한 생각까지 했다. 난 연호의 팔로우를 고민 끝에 받았고, 그 뒤로 우리는 연호에 선디엠으로 연락을 계속하게 되었다.

어느새 친해진 우리는 겨울엔 항상 만났고, 그럴 때마다 연호는 추위를 많이 타는 나에게 매일 핫팩을 가져다주었다. 처음엔 2개씩 매일 가지고 왔지만 시간이 지날수록 한 개밖에 못 가지고 왔다며 어쩔 수 없다는 듯이 매일 내 손을 잡고 핫팩을 같이 썼다.

그 뒤로 나는 '눈'이라는 단어만 떠오르면 연호를 생각할 수밖에 없었다. 연호가 나에게 너무나도 몽글몽글하고 따뜻하면서 차가운 감정이 들게 해 줬고, 난 그동안 연호와 같이 지내면서 느낀 감정이 우정이 아닌 사랑이라는 것을 알게 되었다. 그 후 나는 연호가 가끔 미우면서 너무 좋았고, 하연이는 그런 내 모습에 내가 연호를 좋아하는 것을 눈치채고 사랑보다 우정이 먼저라며 온갖 조언과 고민 상담을 다 해줬다.

그러다 시간이 지나고, 봄이 오듯 내 마음에 벚꽃이 폈다. 첫눈이 펑펑 온 날 연호가 집 앞 놀이터에서 기다리겠다고 문자를 보냈다. 나는 깜짝 놀라 얼른 꾸미고 나왔는데 연호는 몇 시간 동안 있었던 것인지 눈을 잔뜩 맞은 채 그네에 앉아있었다.
나는 얼른 놀이터 쪽으로 가 연호 옆 그네에 앉았다. 많이 기다
렸냐고 물어봤을 때 연호는 많이 안 기다렸다며 나를 향해 설
레게 웃었다. 난 빨개진 얼굴을 숨기고 그렇게 설레게 웃지 말
라고 말하고 싶었지만 그러기엔 고백과 다름이 없어 말을 꾹
참았다. 그때 연호가 진지하게 나를 쳐다보며 얘기했다.

"눈 오니까 누가 먼저 생각났는 줄 알아?

"누군데? 아 설마 너 또 우리 엄마~ 이럴 거 아니지?"

"아니거든요ㅋㅋ.. 있잖아, 널 보고 있으면 항상 첫눈 온 날이
자꾸 생각난다?"

"첫눈 온 날? 아~ 그때.. ㅎㅎ 그때 진짜 예뻤는데.."

"그치.. 그때 너도 엄청 예뻤어.. 생각해보면 네가 첫눈보다 더
빛났 것 같기도 하고... 사실 그때만 생각하면 막 심장이 설레ㅋ
ㅋ 그날 이후 네 생각 밖에 안 나기도 하고 매일 보고 싶어 했
으니까.. 오늘은 평소처럼 눈 오니까 너 생각이 났어, 유하야"

연호가 나에게 첫눈처럼 자신의 진심을 말 하자 낭만 있게 눈
이 이쁘게 더 떨어졌다. 그때 연호의 모습은 홍시처럼 붉게 핑
크빛이 나는 홍조와 하얀 피부가 내 마음을 지끈거리게 했고,
내 기억 속에 지워질 수 없는 모습 중 하나였다. 우린 그날 서
로에 마음을 느끼고 사귀게 되었다. 어쩌면 나와 연호는 눈과
운명인 것 같고 전생에도 눈과 함께 만났을 것 같은 생각이 들
었다. 어쩌면 이 추억이 나에겐 장미 같은 존재였을 거다.

2장 이연호

2023년 초겨울, 유하와 데이트하기 전이였다.

"나는 당신의 거름이 될 테니~ 당신의 나의 꽃이 되어주
오~"
초겨울날 1교시 국어 수업에서 학교 창문을 바라보며 멍을 때
렸다. 사실 나에게 아주 큰 고민이 생겼기 때문이다. 바로 유하
에 대한 고민이다. 나는 유하와 거의 2년째 사귀고 있다. 사귄
이후로 인생은 온통 유하였고, 유하라는 이름만 들어도 심장이
뛸 정도록 그 정도록 사랑했다. 그런 내가 어느샌가부터 마음이
점점 이상해져 갔다.
"야 너 요즘 김유하랑 왜 데이트 안 하냐? 설마…"
수업 중 박찬수가 쪽지를 던졌다. 그 글을 보자마자 한숨이 푹
나왔다. 안 그래도 연애 문제 때문에 힘들어 죽겠는데 이 쓸데
없이 눈치만 빠른 박찬수 때문에 더 힘들어졌다. 사실 내가 생
각해 봐도 데이트를 안 한 지 너무 오래되기도 했고, 학교에서
같이 있는 것을 많이 못 봤다는 얘기도 있었다. 찬수가 물어볼
만도 하고. 나는 뻔한 변명과 사실을 섞어 쪽지에다 썼다. 박찬
수 얘가 내 고민을 알아도 잘 모를 게 뻔하기 때문이다.
"그냥 서로 시간이 안 맞아서 그런 거고, 이번주에 데이트 하기
로 했으니까 걱정하지 마셈~"

솔직하게 얘기하면 우린 시간이 안 맞아서 안 만나는 게 아니다. 요즘 내가 유하를 피하고 있었기 때문이다. 보고 싶지도 않고, 봐도 귀찮을 것 같았다. 더 이상 내가 유하를 사랑하지 않은 것 같아서 헤어져야 하는 생각까지 했으니까. 나는 쪽지를 보내고 이런 마음으로 유하와 사귀고 있어도 되나 싶은 생각을 다시 하며 창문에 머리를 기대며 눈을 감았다. 계속 그 생각만 해서 그런지 머리가 깨질 것처럼 너무 아팠다.

한숨 자면 괜찮겠지 싶었지만, 난 결국 머리가 너무 아파 선생님께 말씀드리고 보건실을 갔다. 바로 약만 먹고 힘겹게 계단을 터벅터벅 올라가 반으로 가는데 그때 마침 수업이 끝나 화장실을 가려는 유하랑 마주쳤다. 유하는 나에게 빠르게 다가와 까치발을 든 채 내 이마에다 손을 댔다.

"이상하다.. 열은 없는데 머리는 괜찮아?"

유하와 같은 반이여서 조용히 보건실을 다녀왔는데.. 어떻게 알은건지.. 나는 당황한 표정을 숨기고 괜찮다고 말했다. 유하는 그런 내 마음은 아는지 내 앞에서 다행인 듯 실실 웃었다. 갑자기 유하가 뭐가 생각났는지 나에게 말하려는 순간 옆에서 누군가 크게 내 이름을 불렀다.

"야!!! 이연호 점심시간 때 축구할 거니까 나와라"

박찬수 목소리였다. 나는 박찬수에게 기다리라는 손짓을 한 다음 유하를 쳐다봤을 때 유하는 속상한 표정이었다.

"미안 유하야 아까 뭐라고 했어?"

"아! 아무것도 아냐 신경 쓰지 마"

유하는 아쉬운 표정을 감추고 살짝 웃으며 말했다. 사실 유하에 표정에 나 속상해라고 쓰여있다고 할 정도로 속상한 표정이 너무 잘 보였다. 평소에 나였으면 이것마저 귀엽다고 했을 텐데 지금의 나는 지침, 지겨움 그리고 어려움이 뒤섞여 반죽이 되는 느낌이 들었다. 나는 그런 유하를 모른척하고 반에 들어가자고 얘기했다. 사실 이 때가 시작했던 것 같다. 나의 권태기가

2023년 초겨울날, 데이트를 하기로 한 날이 왔다.

"띠롱 띠롱"
오늘은 평소보다 유하에게 연락이 많이 오는 날이다. 오랜만에 데이트를 하기로 한 날이어서 신난 걸까. 오늘 데이트 준비를 까먹고 있었던 나는 유하의 문자를 보고 망함을 감지했다.
"아... 망했네.."
데이트하기 너무 싫었다. 이제 유하의 얼굴을 보는 것도 설레지 않고 데이트도 즐겁지 않고 귀찮기만 하는데 굳이 해야 되나 싶었다. 나는 의자에 앉아 핸드폰을 붙잡고 한숨만 계속 쉬었다. 데이트 해야되는데..라는 말만 중얼거린 채, 한동안 의자에서 눈을 감고 쉬고 있을 때
"으우우웅"
전화가 왔다. 박찬수였다.
"야 나와 노래방 가자"
"노래방..? 거기 링동노래방?"

"어어 나와라 기다린다."

 안 그래도 데이트 때문에 심란한 나에게 박찬수 이 자식이 아주 재미있는 문젯거리를 더 줬다. 침대에 누워 고민하다가 일어나서 고민하다가 의자에 앉아서 등등. 한 20분쯤 고민했나. 나는 결국 박찬수와 같이 링동 노래방을 선택했다. 데이트는 나중에 할 수도 있으니까는 생각과 함께 미안하지만, 데이트를 포기했다. 나는 유하에게 대충 중요한 약속이 있다고 말하고 박찬수랑 같이 링동 노래방으로 갔다. 익숙하게 노래 2시간을 선택하고 노래를 불렀다. 오랜만에 온 노래방이라 나는 노래를 신나게 부르고 부르다 노래가 끝나 쉬고 있었다. 그 사이에 찬수가 갑자기 눈치를 보더니 얘기했다.

"야 너 김유하랑 헤어졌냐? 오늘 데이트 날 아니야?"

"..? 뭔 소리야 안 헤어졌거든 그리고.. 데이트 오늘 맞는데 그냥 내가 취소함"

"뭐..?"

 나는 찬수의 표정이 매우 당황한 표정이었다. 난 그 표정을 보고 괜히 말했다 싶어 아무것도 아니니 잊으라고 했지만, 찬수가 왜 그러냐며 내 멱살을 잡고 재촉했다. 나는 결국 내 속마음과 그동안 있었던 일을 다 얘기했다. 찬수가 과몰입더니 갑자기 마이크를 들고 자기가 권태기 노래를 불러준다며 노래를 미친 듯이 부르기 시작했다. 난 박수 좀 쳐주다가 그 틈을 타 노래방을 빠져나와 화장실을 갔다.

"으아 목아파 죽겠네 집가면서 물사야겠다.."

볼일을 다 마치고 노래방으로 들어가려는데 슝~ 누가 내 앞을 빠르게 지나갔다. 이상하게 그 모습은 어디서 많이 본 뒷모습이었다.

뭐지 싶어 따라가는데 그 익숙한 뒷모습에 또 익숙한 목소리가 들려왔다.

"이 목소리.. 설마 김유하..?"

심장이 잠시 멈추더니 엄청 빠르게 뛰었다. 내 심장 소리가 저곳까지 들릴까 봐 걱정을 할 정도였다. 정말 아무리 봐도 아무리 들어도 김유하 목소리, 김유하 몸이었기 때문이다. 정신 차린 나는 어떻게든 몸을 숨기려고 했지만, 하필 내가 있던 장소에 숨을 곳이 하나도 없었다. 독 안에 든 쥐처럼 허둥지둥거리다 결국 난 숨는 걸 포기한 채 자신감을 가지고 유하가 아닐 수도 있다는 마음으로 조심스럽게 유하의 이름을 불렀다.

"김... 유.. 하..?"

이런 아뿔싸. 역시 내가 유하를 못 알아볼 리가 없지. 정확하게 그 뒷모습은 김유하였다. 유하는 놀라 몸을 들썩거리며 뒤를 쳐다봤다. 나는 이 상황을 어떻게 설명할까 싶어 핸드폰만 꼭 쥐고 있었다. 분명 나랑 데이트가 취소돼서 집에 있을 것이라고 생각했던 유하가 노래방에 있다니 왜 왔는지 궁금했다.

"뭐야...? 네가 왜 여기에 있어?"

일단 아무만 없는 유하에게 나에게 질문을 하기 전에 먼저 질문을 했다. 유하는 노래를 부르러 혼자 왔다고 얘기했다. 하지만 유하의 말이 거짓말이란 걸 단번에 알아차릴 수 있었다. 유하의 말과 행동이 완전 어색했기 때문이다. 유하는 어색하고 당황스러운 모습을 감추고 나한테 왜 여기 있냐고 물었다. 나는 사실을 말하기 힘들어 거짓말로 약속이 취소됐다고 얘기했다. 유하가 순진한 건지, 아님 속아주는 건지는 모르겠지만 유하가 웃으며 집까지 데려다주라고 했다. 노래 끝나려면 얼마 안 남았고 시간도 있어 나는 유하를 집에 데려다주기로 했다.

띠링!

나는 유하 때문에 버리고 간 박찬수가 갑자기 생각나 연락하려고 할 때 딱 박찬수에게 문자가 왔다.

- 박찬수 : 야 어디냐 왜 나 노래방에다가 버리고 가버리냐..ㅡ
- 이연호 : 미안 유하 와서.... ㅋㅋ
- 박찬수 : 김유하?? 오마이갓.. 화이팅! 권태기 극복 가야지~
- 이연호 : 뭐래..

권태기 극복이라. 참나, 권태기를 극복할 수나 있는지 그게 의문이었다. 드라마나 웹툰에서는 권태기를 극복해 다시 사랑하지만, 현실에서는 그런 것이 솔직히 불가능하다고 생각했다. 그래서 난 유하를 다시 만날 자신이 없었다. 다른 남자가 유하를 더 행복하게 해줄 수 있을 것 같고 나보다 더 설레고 좋을 수도 있다고 생각했다.

난 유하랑 같이 길을 걸으면서 온종일 그 생각만 했다. 유하는 나한테 그동안 내가 없는 동안 뭔 일이 그렇게 많았는지 계속

썰을 풀었다. 귀에 들어오지는 않았지만. 그래도 맞장구를 쳐주며 핸드폰을 본 채 길을 걷고 있었다. 그러다가 갑자기 정적이 흘렸는데, 익숙하지 않은 정적이 흘려 나는 곧바로 유하를 쳐다봤다. 유하가 어색한 표정을 지은 채 조용히 길을 걷고 있었다. 유하가 조용히 있는 게 어색하기도 하고 이 분위기가 싫어서 유하에게 말을 걸었다. 그것 때문에 평소에 10분이면 가는 길이 오늘은 나에게 1시간이나 된 기분이 들었다. 유하를 집을 데려다주고 뒤를 돌았는데, 유하가 갑자기 소리를 지르며 내 이름을 크게 불렀다. 난 너무 깜짝 놀라 뒤를 바로 쳐다봤다.

"사... 사랑해!!!!"

아? 유하는 잠시 망설이더니 다짜고짜 사랑한다고 고백했다. 갑자기 들어서 뭔 리액션을 해야 될 지 몰라서 그림처럼 가만히 있었다.

"나도"

내 머릿속에는 나도 라는 표현 밖에 안 떠올랐다. 사랑한다고도 말하려고 했지만, 전처럼 쉽게 되지도 않았고, 차마 나도라는 말만 하고 나는 유하를 보내 혼자 길을 걸었다. 날씨가 얼마나 추운지 숨을 쉴 때마다 입에서 하얀 연기가 폴폴 올라왔다. 난 차가운 얼굴을 만지며 걷고 있는데 그때 옆에 있던 놀이터가 내 눈에 들어왔다. "아 저 놀이터.." 나는 놀이터 쪽으로 가 그네를 탔다. 예전에 차가웠던 그네가 신기하게 따뜻해진 날이 있었다. 그때가 아마 내가 이 자리에서 유하에게 고백했던 날일 거다.

2021년 **초겨울날**, 내가 그때 유하를 보고 반한 날이었다.

우다다다다다 탕탕

 시끄러운 복도, 급식실과 다름없는 대화 소음들, 시험 기간인데 우리 남자애들은 항상 시끄러웠다. 그중에 한 명 뽑자면 박찬수가 젤 고막 테러였다. 반에서 시끄럽게 떠드는 찬수 때문에 난 더 이상 있다간 고막이 터져 버릴 것 같아 복도로 나와버렸다.

"으.. 추워 또 얼굴 엄청 빨개지겠네"

 오늘따라 복도가 너무 추워서 난 바로 얼굴 홍조가 걱정됐다. 나는 겨울이 되면 얼굴이 빨개지는 이 홍조 때문에 겨울이 싫었다. 여자애들은 내가 얼굴의 홍조 때문에 겨울이랑 너무 잘 어울린다고 했는데, 이해가 안됐다. 나는 이 맘에 안 드는 얼굴을 부여 만지며 복도를 걷고 있었다. 복도에 있으면 있을수록 너무 추워서 다시 교실로 돌아서는 순간 나는 발견했다. 복도 창문이 열려 있었다는 걸. 나는 조용히 욕을 하면서 나라도 복도 창문을 닫아야 괜찮아질 것 같아 복도 창문 쪽으로 향했다. 그 순간 마법처럼 첫눈이 팍 내리기 시작했다. 내가 본 그 첫눈은 다른 눈보다 다르게 새하얗고 반짝였다. 가슴이 뭉클했고, 멋있었다.

"와... 눈이네.."

 첫눈을 이렇게 갑작스럽게 보는 건 처음이라 나도 얼떨떨했다.

그래도 마치 나를 위해 내린 첫눈인 것 같아 입꼬리가 쓰윽 올라갔다.

"아~ 이렇게 이쁜 첫눈에 여친만 있음.."

나는 혼자의 외로움을 느끼며 내리는 눈을 향해 손을 뻗으며 구경을 하던 중 어디선가 시선이 느껴졌다. 난 바로 시선이 느껴지는 곳을 봤는데, 그때 내 심장이 크게 뛰게 시작했다.

쿵, 쿵, 쿵

교실 창문에 어떤 아름다운 여자애가 있었다. 큰 눈에다 강아지 같은 외모, 앵두 같은 입술 등 내 심장을 관통하는 듯 이뻤다.

"와.. 신이시여 감사합니다. 제 이상형도 같이 내려주셨네요.."

너무 완벽했다. 이 분위기, 차가운 온도, 그리고 그 여자애 그 여자애는 나랑 눈이 마주치자 바로 시선을 피했고, 난 그 여자애만 쳐다봤다. 그때 뒤에서 누군가 내 머리를 세게 때렸다.

"야 너 뭐 하냐?"

바로 박찬수였다. 박찬수는 나보다 인맥이 넓어서 저 여자애를 알 거라고 생각해 얼른 물었다.

"너.. 쟤 알아? 이름이 뭐야?? 이름!"

"쟤? 어? 김유하인데? 근데 왜?"

나는 박찬수의 질문을 그대로 무시하고 온갖 유하 생각만 했다. 이름도 이쁘고 얼굴도 이쁘고 분위기도 이쁘고. 모든 게 다 아름다워 보였다. 한마디로 난 유하한테 첫눈에 반했다. 그 뒤로 난 유하를 만나기 위해 반도 찾아가 보고 모든 노력을 다

해보았지만 다 실패였다. 그러다가 어느 날 우연히 유하를 만나게 되었다.

  그날은 기말고사가 15일밖에 안 남아 한 겨울에 스카에서 공부를 하던 날이었을 거다. 그날에도 눈이 내렸던 날이었다. 오랜만에 공부 좀 빡세게 하려고 한 나는 박찬수와 함께 스터디 카페에 왔다. 자리는 예전에 내가 매일 앉았던 자리로 바로 정했다. 이번엔 시험을 진짜 잘 봐야 돼서 엄청난 마음 다짐으로 공부를 했다. 이번에도 시험을 망하면 집에서 쫓겨날지도 모르니까, 나는 초집중을 하며 2시간 넘게 공부를 좀 했다. 몸이 좀 뻐근한 나는 옆자리에 있던 박찬수를 봤는데, 박찬수는 역시 하라는 공부는 안 하고 아주 편하게 침을 흘리며 잠을 자고 있었다. 나도 슬슬 잠이 오고 힘들어 좀 쉴 겸 바람을 쐬러 나갔다. 바람을 쐬러 나가자 속이 뻥 뚫리는 기분이었다. 특히 밤공기가 나를 들뜨게 했다. 그렇게 밖에서 스트레칭 좀 하다가 다시 스터디 카페에 들어가려는 순간 익숙한 얼굴이 스터디 카페를 슬금슬금 들어가고 있었다. 그 익숙한 얼굴은 운명인 것처럼 내 이상형 김유하였다. 시원하게 부는 밤공기와 살살 흔들리는 유하의 머리카락, 나는 다시 한 번 반했다. 나는 잠시 멍 때리다가 얼른 말이라도 걸어야겠다 싶어 순간적으로 유하의 어깨를 덥석 잡았다.

"쿠쿠쿠ㅜ쿵쾅, 아! 아!!"

  너무 아팠다. 유하가 날 사정없이 때렸기 때문이다. 제대로 된 첫만남이 이거라니. 정말, 나는 아주 제대로 망했다고 생각했다.

일단 이대로 맞다간 내가 죽을 것 같아서 유하에게 아는 척이라도 해야겠다 싶었다. 같은 학교라고 말하며 아는 척을 했더니 유하의 때림이 드디어 멈췄다. 멈추는 순간 내 몸의 고통이 한번에 와 몸이 산산조각이 나는 느낌이었다. 그때 유하가 미안하다며 사과를 하더니 자기 이름을 어떻게 알았냐고 나에게 처음으로 말을 걸었다. 유레카!!! 유하가 나한테 말을 걸다니 몸은 많이 아프지만 나는 약한 남자인걸 보여주기 싫어서 강한 남자인 척 살짝 웃으며 옷을 털며 말했다.

"그날 첫눈 온 날에 나 너 봤거든 그래서 애들한테 물어봤어 네 이름"

와 내가 들어도 완벽하게 말한 것 같다. 나는 유하가 설레줄 알고 살짝 기대한 순간 생각지도 못한 답변이 나왔다.

"어....? 왜..?"

나는 기대했던 맘이 쿵 절벽으로 떨어져 버렸다. 나는 생각지도 못한 말에 어떤 말을 해야 되는지 한참을 고민하다가 딱 한 기억이 떠올랐다. 유하를 처음으로 본 날, 첫눈이 너무나도 아름다웠고 유하에게 보자마자 반한 날, 나는 그때를 변명으로 얘기했다. 같이 첫눈을 봤으니까, 그 말에는 아주 많은 의미가 있으니까. 유하는 그 말을 이해를 못 했는지 의아한 표정을 짓고 스터디 카페에 자리를 정하고 들어갔다. 나는 유하랑 같이 들어가기 위해 빠른 걸음으로 들어갔다. 근데 분명 나는 유하랑 같이 들어가려고만 했는데 유하가 내 자리가 있는 자리로 가는 거다. 난 눈을 크게 띄며 내 자리에 앉았다. 왜냐하면 유하가 정말 운명인 것 같이 눈이 잘 마주칠 수밖에 없는 대각선 자리에 앉았기 때문이다. 유하도 자리에 앉자마자 나와 대각선 자리인 줄 알았는지 나를 쳐다봤다. 난 유하에게 손을 살짝 흔들며 인사했다.

그리고 공부에 방해가 되지 않게 실실 웃으며 조심히 난 다시 공부를 시작했다. 하지만 좋아하는 사람이 있으면 공부가 안 되는 법. 내 시선은 책이 아닌 오직 유하에게 향해있었다. 계속 힐끔힐끔 쳐다보다 눈 마주치면 귀신 본 것처럼 화들짝 놀라고를 반복했다. 자다 일어난 박찬수는 나를 보며 고개를 절레절레하며 다시 자버렸다. 이렇게 남이 보기에는 멍청이 같아 보이지만 나는 그렇게라도 하는 게 설레고 좋은데 박찬수는 그런 마음을 모르는 것 같다. 그러다 징징~ 핸드폰에 인스타그램 문자가 왔다. 인스타그램 활동을 별로 안 하던 나는 오랜만에 스토리를 올렸더니 여러 문자들이 와있었다.

"치... 내가 스카 온 게 그렇게 신기한가, 왜들 난리야.."

나는 잔뜩 찡그린 얼굴을 하고 얼른 귀찮은 문자를 대충 답변하고 내가 올린 스토리를 지우려다가 몇 명이나 봤나 싶어 확인했는데, 헉! 세상이 날아가는 줄 알았다. 아까 전에 유하가 내 스토리를 본 것이다. 이런 이런이런!!! 하필 봐도 내 얼굴이 이상하게 찍힌 스토리를 보다니 마음이 덜컥 떨어지는 줄 알았다. 유하가 내 스토리를 본 건 좋긴 하지만, 나는 바로 유하에게 팔로우를 걸었다. 그리고 미친 사람처럼 핸드폰을 가슴에 대고 헤헤하며 웃었다. 그때 유하 자리에서 크게 알람이 울렸고 나는 그게 너무 귀여웠다. 또 인스타그램에 유하에 셀카가 있었는데 그걸 본 나는 가슴을 붙잡고 심쿵을 연속으로 맞았다.

"으아.. 이번 시험도 망했네. 헤헤 어머님 사랑을 말리지 마세요.."

그렇게 내 소중한 스카 시간은 사랑 때문에 물거품이 됐고 내 시험은 평소보다 더 망했다는 걸 짐작하고 있었다. 다음날 나는 집에서 유하에게 첫 문자를 어떻게 보내야 할지 쓰다 지우고 쓰다 지우고를 반복했다. 엄청난 고민 끝에 난 유하에게 연락을 보냈고, 내 심장은 시험 날보다 떨렸고, 수능 보는 것처럼 간절했다. 그때 "띠롱" 알람이 울렸다. 후다다닥 나는 핸드폰을 향해 돌진했다. 유하에게 답장이 온 나는 잠깐 기쁨에 댄스를 추고 연락을 이어갔다.

그 후로 우린 생각보다 잘 맞았고, 눈이 오는 날마다 유하가 보러 나갔다. 유하는 알았을까, 내가 왜 계속 핫팩을 한 개만 들고 나왔는지, 추워도 왜 자신을 보러 갔는지. 아마도 모를 거라고 생각했다. 하지만 내 인생은 차가운 눈을 뒤로할 정도로 따뜻했다. 그러다 어느 날 유하가 나에게 와서 얼굴을 붉히며 얘기할 때 깨달았다. 유하는 나를 좋아한다는 것을, 감정을 못 숨기는 유하를 보고 내 마음은 풍선처럼 부풀어 오르며 솜사탕처럼 달콤한듯했다.

그 후 내 마음은 더 커졌고, 그럴수록 너무 보고 싶었고 답답했었다. 그러다 며칠이 지나 나는 유하에게 먼저 고백을 하기 위해 유하에 집 앞 놀이터에 갔다. 선물을 주며 고백을 할지,

문자로 할지 전화로 할지 아니면 만나서 할지 계획을 안 짜는 내가 계획을 짜기 시작했다. 결국 결과는 눈이 펑펑 내리는 날씨에 1시간 동안 유하의 집 앞 놀이터에서 계속 고민해 결정을 하고 유하에게 연락해 집앞 놀이터에서 만나서 고백을 했다. 사실 며칠 동안 나는 유하를 볼수록 첫눈이 오던 그때가 자꾸 생각났다. 그땐 정말 이뻤다. 아니 그 날에 나에게 사랑이란걸 나타나게 해주던 유하가 너무 이뻤다. 그 맘을 차곡차곡 쌓아올린 나는 이젠 이 쌓아올린 탑을 무너뜨릴 때가 다가왔다고 생각했다. 내가 무너뜨린 탑에 결과는 유하의 눈으로 전해졌고 이 눈빛은 나에게 큰 행운을 보여줬다. 눈빛을 보는 순간 긴장했던 몸이 축 풀렸다. 나는 유하를 끌어안으며 이 순간 잊고 싶지 않았다. 결국 나의 사랑은 성공한 것이다. '눈' 눈이 우리를 이어준 것 같다. 어쩌면 이 추억이 나에겐 부메랑 같은 존재였을 거다.

3장 이연호와 김유하

2023년 첫눈이 내리던 어느 날 우리에게 아픔이 찾아왔다.

"너 지금....뭐라고 했어..?"
이게 아닌데 우리가 왜 이렇게 된 건지, 정적만 흐르기 시작했다.
눈은 지금 펑펑 내리는데, 우리에게 긴 추억이 있는 첫눈이 내리는 날 우리는 헤어졌다. 데이트하는 날, 그리고 우리가 헤어지기 전에 있었던 일이다. 우린 서로 생각했다. 언제까지 이 감정을 이어가야 하는지, 유하는 힘든 사랑을 하기 싫었고, 연호는 더 이상 사랑하지 않는다고 생각했다. 저번 데이트가 취소되어 데이트를 다시 하게 된 이번 데이트는 링동 노래방에서 만나기로 했다. 어색함에 최고치를 도달 할 것 같아 걱정된, 연호와 유하는 큰 한숨을 내셨다. 유하는 미리 골라놓은 옷을 입고, 적당히 화장도 하고 향수도 뿌린 다음 집을 나갔는데, 심장이 너무나도 떨렸다. 핸드폰 진동이 울린 듯이 떨려, 푹 심호흡을 하고 길을 나섰다. 연호는 유하가 집을 나올 때 준비를 시작했다. 대충 어제 입은 걸 입고 바로 나왔다. 별로 설레지도 않았고, 마음만 무거운 연호는 핸드폰만 만지작거리며 길을 나섰다. 약속 장소에 먼저 도착한 건 유하가 아닌 연호였다. 유하는 먼저 도착한 연호를 보고 심호흡을 하고 웃으며 연호에게 달려갔다.

"미안 연호야, 많이 기다렸지?ㅜㅜ"

"아냐 들어가자"

후줄근한 후드티와 핸드폰만 보는 연호를 본 유하는 속상한 마음이 한층 쌓여갔다. 그래도 오랜만에 만난 유하는 연호의 손을 잡으려고 하는 순간 휙 연호가 손을 피했다. 연호는 유하가 갑자기 손을 잡으려고 하는 것에 너무 놀랐고 유하의 손을 순간적으로 피해버렸다.

"손잡지 마.. 손에 땀났어 그냥 가자"

유하는 어이가 없었다. 그냥 싫다고 하지. 지금 완전 추운데 손에 땀이 나다니. 유하는 일부로 속상한 티를 내려고 연호를 앞질러 노래방에 들어갔다. 연호는 그런 유하의 모습을 보고 귀찮았지만, 유하를 풀어주기 위해 따라 들어갔다. 유하는 아무 말 없이 노래를 부르기 시작했었고, 연호는 그런 유하의 반대편 쪽에 앉았다. 유하는 자신의 감정을 눈치채지 못했는가 싶어 슬픈 감정을 어떻게든 노래로 없앨 생각에 크게 크게 불렀다. 갑자기 그러는 유하의 모습에 연호는 머리랑 몸, 마음까지 다 귀찮음만 더 가득해서 시선을 오직 핸드폰만 쳐다봤다. 그렇게 1시간이라는 시간이 지나고 유하가 노래를 다 부르고 연호를 쳐다봤을 때 연호는 아직도 핸드폰을 보고 있었다. 연호는 시선이 느껴지자마자 유하를 쳐다봤고, 유하에게 눈치가 보여 바로 핸드폰을 내려놨다.

"왜..?"

유하는 연호의 말을 듣자 아무것도 아니라는 듯 다시 자기 혼자 나가버렸다. 유하는 화가 잔뜩 나있었다. 조그마한 감정이 아니라 마음이 부글부글 끓어 오르는 느낌이었다. 연호는 그런 유하를 보고 또 왜 저러는지 짜증 나 뒤따라 갔다. 얼마나 걸음이 빠른 건지 유하는 벌써 노래방을 나갔고, 연호는 살짝 불안한 마음이 점점 커져갔다. 유하를 찾기 위해 전화를 해봐도 다 거절을 했다. 그때 연호의 핸드폰에서 박찬수에게 전화가 왔다.

"야 김유하 왜 우냐, 무슨 일 있어?"

"하 미치겠네 걔 어디 쪽으로 갔어?"

"안 그래도 아까 그 링동노래방 나와서...링동노래방 반대쪽으로 갔을걸?"

링동 노래방에 반대쪽은 유하의 집 방향이다. 연호는 얼른 박찬수에 전화를 끊고 걸음을 빨리했다. 그 시각 유하는 눈물을 계속 흐르고 있었다. 너무 나빴다. 연호가 너무 미웠다. 더 이상 자신을 사랑하지 않은 것 같았다. 유하는 자신이 잘못한 게 있는지 매일 생각해 보고 연호가 왜 그러는지 생각해 보며 불안하고 속상한 맘이 오늘 한 번에 터져버렸다. 그런 맘에 유하는 눈물이 멈추지 못했고, 집 앞에 다가왔을 때 연호가 처음으로 고백한 장소, 놀이터가 보였다. 유하는 놀이터를 향해 걸어갔다. 놀이터를 생각하니 유하는 눈물을 더 멈추지 못했다. 그때 연호는 유하를 찾기 위해 달려가다 놀이터에 앉아있는 유하를 발견했다. 연호는 유하를 향해 걸어가는 순간 첫눈이 펑펑 내리기 시작했다. 연호는 눈을 맞으며 유하에게 가 화를 냈다.

"너 왜 여기에 있어? 내가 너 얼마나 찾았는 줄 알기나 해?"

연호는 유하가 왜 그러는지 도저히 몰랐다. 연호는 유하가 너무 집착이 심하다고 생각했고, 그럴 때마다 항상 혼자 있고 싶었다.

"너 내가 왜 노래방 나갔는지도 모르고, 내가 지금 왜 우는지도 모르지? ...너 진짜 너무한 거 아냐..?"

눈을 맞으며 유하가 눈물을 뚝뚝 흘리며 얘기했다.

"뭐? 하.. 그래 나때문에 우는 건 알겠어, 근데 내가 뭘 잘못했는데"

"너 요즘 엄청 이상한 거 알아? 나랑 데이트도 안 하려고 하고, 손도 안 잡으려고 하고, 거짓말만 계속하고.."

"아니 그건"

"너 최근에 나한테 사랑한다고 한 적 있어?"

연호는 말이 턱 막혔다. 유하에 말이 맞다. 요즘 사랑한다고 말한 적도 없었고, 거짓말만 하고 계속 피해 다녔다. 말을 하려고 해도 가만히 있을 수 밖에 없던 연호는 생각에 잠겼다. 그저 답답하고 힘들기만 했기 때문이다. 유하는 연호를 어떻게 해야 할지 몰랐다. 머리만 아파지고 있던 그때 연호가 말했다.

"헤어지자 우리, 우린 그냥 헤어지는 게 답인 것 같다, 미안"

유하는 흐르던 눈물이 멈췄다. 정말로 헤어지는 것밖에 없는 건가.. 유하는 주먹을 꽉 쥐었다. 금방이라도 마음이 터질 것 같았고, 연호에게 뺨을 때릴 것 같았다.

"너 뭐라고 했어..?"

연호는 무표정을 유지하며 미안하다는 말만 했다.

"넌..꼭 첫눈 오는 날에 헤어지자고 했어야 돼..?"

연호는 그 말을 듣는 순간 움찔했다. 첫눈 하면 유하에 추억이 많은 건 사실이면서 자신도 알았기 때문이다. 하지만 연호는 힘들고 헤어지고 싶은 마음이 더 컸기에 예전엔 그 첫눈은 너무 예뻤지만, 지금은 흔하디흔한 눈으로 보였다.

"나 이제 자신 없어, 나도 너무 힘들어, 그냥 그만하면 안 돼? 나보다 더 좋은 사람 만나 유하야, 나 잊고"

"너..진짜 그렇게 갈 거야?.. 난 너 그렇게 못 보내.."

유하는 연호에 팔을 붙잡으며 얘기했다. 유하는 연호가 마음이 돌아올 거라고 확신하면서 연호를 잡았다. 아직 많이 사랑하기도 하고, 이렇게 끝내기에는 너무 최악에 이별일 것 같아서 간절했다.

"미안해"

연호는 유하가 잡았던 손을 떼어내고 뒤돌았다. 심지어 유하에 얼굴을 쳐다보지도 않았다. 연호는 눈을 맞으며 점점 유하의 시아에 멀어졌고, 유하는 그런 연호를 계속 쳐다만 봤다.

"야!! 너가 첫눈 온 날 내가 젤 이뻐 보였다며 내 생각밖에 안 났다며..그렇게 갑자기 왜 그러는 건데.. 내가 뭘 잘못 했길래.."

그렇다. 첫눈이 오는 날에 연호가 고백했던 장소에서 유하는 연호에게 차이고 말았고, 그런 유하의 마음은 다시 고치거나 붙일 수 없는 마음이 돼버렸다. 유하는 이별이란 아픔이 너무 커 연호를 믿었던 마음이 산산조각이 되어 날라가 버렸고, 그때 마침 지나가고 있던 임하연이 유하에게 달려가 왜 그러냐며 안아줬다. 유하는 산산조각난 마음을 붙잡으며 더 크게 울었다.

그 당시 연호는 유하에게 이별 통보를 하고 집에 들어가 침대에 몸을 던졌다. 유하를 차면 마음이 홀가분해질 줄 알았던 연호는 오히려 맘이 너무 무거워져버려, 연호는 한숨을 크게 쉬며 박찬수에게 연락을 해 유하와 이별을 했다고 얘기했다. 박찬수는 너무 놀란 나머지 전화를 해 소리를 질렀고, 연호는 박찬수에게 시간 조금만 지나면 괜찮아 질 것 같다며 얘기했다. 그리곤 전화를 끊어 연호는 침대에 누워 한참 동안 생각을 하며 유하에 관련된 모든 것을 다 지우려고 치우며, 눈을 꾹 감고 쓰레기통에 넣었다. 연호도 몰랐던 것이다. 자신의 마음을.. 그저 권태기라는 감정이 자신에게 큰 영향을 준 것이다.

유하도 밖에서 펑펑 울다가 하연이의 위로로 집에 들어와 눈물을 삼키며 흔적을 지우려고 하다 결국 버리지는 못해 상자에 보관해 놨다. 상자는 유하에 눈물만 뚝뚝 떨어졌고, 그 상잔 다신 열 수도 사용 할 수도 없게 되었다. 그렇게 둘은 영원할 것 같았던 연애의 끝을 맞이했다.

다음날 학교에선 벌써 소문이 다 퍼졌고, 애들 사이에선 동화책에 나오는 첫눈의 요정 커플이라는 별명까지 생겨버렸다. 첫눈에 나타나는 아름다운 커플요정 하지만 첫눈이 끝나면 다시 사라지는 전설의 동화책이다. 첫눈, 그렇다. 어쩌면 우리도 첫눈에 나타나고 첫눈에 사라지는 동화 속 요정 커플이었을 수도 있을 거다.

얼마나 흘렸을까. 시간이 빠르게 흘러 어느새 애들은 중학교와 고등학교 졸업을 해 성인이 되어 박찬수는 어느새 군대 입대를 하고 임하연은 대학에 입학해 꿈같은 캠버스 생활을 즐기는 날을 맞이했다. 그런 긴 시간도 다 지난 어느 크리스마스 이브날 온 도시는 시끄러웠다. 그날 누구는 가족과 함께, 누구는 친구와 함께, 누구는 사랑하는 사람과 보내는 그런 날이었고, 크리스마스 트리가 오늘따라 예뻐 보이는 그런 날이었고, 또 첫눈이 너와 나를 빛나게 한 그런 날이었다, 그런 날 그 시간 그 장소에 있는 연호와 유하는 첫눈에의 요정이었다.

"사랑 하나면 행복하던 우리가 또 첫눈으로..."

첫눈 요정 끝.

제5화 나와의 어린 사랑

1장 개학 첫 날부터!

오늘은 3월 2일 아침, 개학날이다. 특별한 거 없는 날이지만 이상하게도 눈이 맑게 떠지는 이상한 날이었다. 보통 이렇게 개운하게 일어나는 날은 늦게 일어난 건데 오늘은 딱히 늦은 시간도 아니었다. 이렇게 기분 좋게 깨는 날엔 안 좋은 일이 일어나는 게 다반사였다.

일단 그런 건 나중에 생각해 보고 바로 학교로 가야 했다. 반 배정을 아직 확인 못해서 빨리 가서 확인하고 들어가야 한다. 개학날부터 늦는 건 절대로 나에게 일어날 수 없는 일이다. 그래서 나는 서둘러 가방을 싸고 학교로 출발했다. 가방을 쌌다는 게 말은 거창한 것 같지만 그냥 필통 하나 넣어놓고 나왔다.

개학 일주일 전부터 안 나왔더니 바깥공기가 개운했다. 코를 타고 들어오는 공기는 내 콧속을 정화해 주는 느낌이었다. 개학만 아니었다면 이 공기를 언제쯤 느꼈을까.

그렇게 아침 공기에 취해 걷던 중 어떤 여자가 내 쪽으로 달려오다 나와 부딪혔다. 나는 그대로 뒤쪽으로 넘어져 엉덩방아를 찌고 그 여자도 넘어져 아파하는 듯했다. 가방도 매고 있고 우리 학교 체육복인 걸 봐선 우리 학교 애였다. 왜 반대로 걸어가고 있던 거지.

"저기, 괜찮으세…"

그 여자애는 내가 말을 다 끝내기도 전에 죄송하다고 외치며 쌩하고 가버렸다. 그 여자애가 가고 난 자리에는 곰돌이 인형 하나가 있었다. 그 여자애가 떨어뜨린 것 같았다. 우리 학교니까 다시 마주칠 일이 있을 거라고 생각하고 돌려주기 위해 주워들었다. 이 좁아터진 학교에서 한 번쯤은 마주칠 것 아닌가.

난 다시 학교로 향했다. 학교가 워낙 가까워서 금방 도착했고 1층에 붙어있던 반배정표를 보고 내 이름을 찾았다. 내 이름, '이현'은 외자 이름이라 찾기 쉬웠다. 내 이름은 2반에 있었다. 누가 2반에 있는지 확인할 시간이 없어서 좋아하지도 싫어할 수도 없이 바로 반으로 향했다.

2반은 2층에 있었다. 1층도 있는데 2층인 게 마음에 안 들지만 3층이 아닌 게 다행이라고 생각하며 반에 들어갔다. 반에서는 남자애 3명이 모여서 얘기를 하고 있었다. 그 중 한 명은 익숙한 얼굴이었다. 최현욱이었다. 최현욱과 같은 반이 된 건 행운이었다. 갔는데 아는 사람이 아무도 없을까 봐 불안했는데 친한 친구가 있는 건 아주 다행스러운 일이다.

나는 곧장 최현욱을 부르며 다가갔다. 최현욱은 곧장 나를 알아보고는 인사를 해주었다. 최현욱은 얘기하고 있던 친구를 나에게 소개해 주었다. 모두 2반 친구들이었다. 나는 그 소개를 들으면서 내가 제일 좋아하는 자리에 가방을 걸어두고 최현욱 쪽으로 갔다. 내가 제일 좋아하는 창가 맨 뒷자리였다. 흔히 일진 자리라고들 하는데 난 그냥 그 자리 느낌이 좋아서 앉는 것뿐이다.

최현욱은 친구들 소개를 끝내고 바로 담임 선생님에 대한 얘기를 꺼냈다.

"너 우리 담임쌤 얘기 들었냐? 진짜 겁나 착하기로 유명하신 쌤 우리 담임됐어. 우리 학교생활 겁나 편할 듯"

나는 알 수 없는 사실이었다. 아침까지만 해도 내가 몇 반인지도 몰랐는데 담임 선생님이 누군지는 더욱더 알 길이 없었다. 그리고 선생님이 착하든 말든 내 상관은 아니었다. 지금까지의 내 학교 인생을 통틀어서 담임 선생님 포함 모든 선생님들한테 혼나본 적이 없었다.

다른 사람들은 내가 선생님들과 친해서 그런 거라고 생각할 수도 있다. 내가 거의 모든 선생님들과 친한 것도 사실이지만 그것 때문에 혼나지 않은 것은 아니었다. 난 그냥 단순하게 혼날만한 짓을 절대로 하지 않는다. 그 흔한 지각, 준비물 미지참, 유인물 미제출 같은 흔한 실수조차 하지 않았다. 그 덕분에 담임 선생님이 어떻든 나에겐 큰 상관이 없었다. 그저 종례만 빨리 해주시는 분이면 좋을 것 같다.

최현욱은 선생님이 착하다는 사실에 많이 신나있는 것 같다. 어쩌면 최현욱에겐 당연한 반응이다. 최현욱은 나와 정반대의 성향을 가진 친구다. 혼날 만한 짓이라면 뭐든 하고 보는 듯한 느낌이 들 정도로 선생님한테 많이 혼나지만 머리는 영재만큼 좋아서 성적은 잘 나오는 그런 지능 몰빵캐 같은 느낌이다. 게다가 얼굴도 반반해서 나름 여자애들에게 인기가 많은 편이다.

게임 캐릭터로 설명하자면 재수 없는 만능캐 부잣집 도련님 같은 느낌이다. 얼굴도 잘생기고 공부도 잘하고 돈도 많지만 재수 없고 예의범절을 모르는 그런 애다.

얘기를 듣다 보니 다른 친구들도 많이 왔다. 그중 내 자리 옆쪽 자리에 앉은 예쁘게 생긴 여자애가 내 눈에 들어왔다. 어디선가 본 듯한 낯이 익은 얼굴인데 기억이 나지 않았다. 내가 누굴 보고 쉽게 잊어버리는 사람이 아닌데 아무리 생각해 봐도 생각이 나지 않았다. 그냥 지나가다 마주친 건가.

나는 곧 종이 칠 것 같아서 자리로 가서 미리 앉아있었다. 그리고 내가 앉자마자 선생님 한 분이 우리 반으로 들어오셨다. 누가 봐도 착해 보이게 생긴 선생님이셨다. 말투조차도 살면서 욕은커녕 남을 비난조차 안 해봤을 것 같은 선생님이 한 분 들어오셔서 얘기를 하셨다. 얘기는 매년 할 만한 똑같은 말뿐이었다.

 선생님이 할 말을 다 끝내고 나가시려고 하실 즘에 아침조회를 시작하라는 종이 울리기 시작했다. 말도 그리 길게 안 하는데 왜 이렇게 일찍 들어온 거지.

 선생님은 나가시다가 갑자기 돌아서서 큰 소리로 말씀하셨다.

 "아, 현이랑 하늘이 잠깐 교무실로 와주라"

 나보고 교무실로 오라는 말이었다. 내가 뭘 잘 못했던가? 개학 첫날부터 선생님한테 찍히는 건가? 별의별 생각들이 났다. 하지만 그 불안감들은 하늘이가 누굴까 하는 궁금증으로 누그러들었다.

 이름이 하늘인 것도 관심이 가지만 나도 그렇지만 선생님의 말에 하늘이라는 아이도 대답을 안 해서 누군지 파악하지 못했다. 어차피 둘 다 교무실에 가야하니 하늘이라는 아이와 같이 가려고 반을 나서는 아이들을 유심히 보았다.

 그러다 내 옆에 앉아있던 예쁜 아이가 일어나서 반을 나섰다. 저 아이가 하늘이라는 아이 같다. 나는 어차피 교무실에 가야하니 곧장 교무실로 갔다. 나보다 먼저 반을 나섰던 아이도 교무실로 향하는 걸 봐선 하늘이라는 아이가 틀림없었다.

 하늘이와 나는 교무실에 들어가서 곧장 선생님에게 갔다. 선생님은 우리가 들어오자 오라는 손짓을 하였다. 우리 선생님께 가자 선생님은 우리에게 말을 하셨다.

 "내가 우리 반에 암행어사를 만들려고 하거든? 어, 암행어사가 뭐냐면 그냥 말 그대로 암행어사 일을 하는 거야, 학교에서.

친구들이 나쁜 말을 많이 하거나 뭔가 나쁜 짓을 하면 너희가 몰래 나한테 알려주는 거야. 어때? 해볼래?"

뭔가 뜬금없는 제안이었다. 조용했던 내 학교생활에 암행어사라니, 청천벽력 같은 소리가 아닐 수가 없었다. 우리가 아무 말 없이 멀뚱히 서있자 선생님은 말을 계속 이어가셨다.

"너희가 알지는 모르겠지만 내가 학생들을 잘 못 혼내. 그래서 애들을 바로잡아주지를 못하니까 애들이 자꾸 삐뚤어지는 것 같아. 그래서 내가 작년 너희 담임 선생님들한테 다 가서 물어보면서 암행어사 역할을 잘할 수 있을 것 같다고 추린 게 너희 둘이거든. 해줄 수 있겠니?"

우리 반에만 적어도 30명 안 되게 있을 텐데 내가 그중에서 가장 우수한 학생 두 명 중 한 명이라는 사실이 자랑스럽기도 했다. 하지만 자랑스러운 건 자랑스러운 거고 내가 암행어사 역할을 잘할 수 있을까도 걱정되었다. 한 번도 이런 걸 해본 적이 없어서 걱정되었다.

"재밌겠네요. 해볼게요. 이거 비밀로 해야 되는 거예요?"

내가 고민하고 있는 와중 옆에 있던 하늘이가 먼저 하겠다고 나섰다. 하늘이가 한다고 했으면 나도 해야 되는 건가? 자신 없는데, 어떡하지. 고민하고 있던 와중 하늘이는 팔꿈치로 날 치면서 그냥 하라고 입모양을 했다. 다른 입모양 일 수도 있었겠지만 내가 봤을 땐 어떻게 봐도 "그냥 해"였다.

"네,, 할게요."

"고맙다, 얘들아. 너희 지금 폰 있니? 내 전화번호 줘야 되지?”

“폰 아까 내서 없어요”

“아 그러면 내가 너희 폰에 문자 남겨놓을 테니까 학교 끝나고 선생님 폰 저장해”

그 말을 끝으로 우리는 교무실을 나왔다. 그리고 나오자마자 하늘이는 나에게 물었다.

“넌 뭘 굳이 이걸 망설이고 있냐? 재밌어 보이는데”

“어떻게 재밌어 보인다고 다 하냐”

“너 생각보다 재미없구나”

이렇게 말하고 하늘이는 반으로 재빨리 들어가 버렸다. 반박할 시간조차 주지 않았다. 나도 1교시를 위해 얼른 반으로 들어갔다. 암행어사에 대해 생각해 볼 시간도 없었다.

개학일은 언제나처럼 너무 빠르게 흘러갔다. 개학날엔 재미가 있든 없든 시간이 빠르게 가는 느낌이다. 2반에서 몇 교시 동안 같이 생활하다 보니 딱히 암행어사로서 할 일이 많지 않을 것 같다. 딱히 문제가 있는 친구도, 시끄럽거나 나쁜 친구도 없는 것 같다. 일이 별로 없으면 암행어사를 해도 별 부담이 없을 것 같아서 괜찮을 것 같다. 일단 한 번 해보고 너무 힘들면 그때 그만두면 되는 것이니 일단 해보는 게 좋을 것 같다.

하늘이는 마지막 교시가 끝나고서 나에게 먼저 말을 걸었다.

“너 선생님이 말한 그거 할 거지?”

암행어사를 말하는 것 같았다.

“한 번 해보려고”

"한 번 해보는 게 어디 있어. 했으면 한 걸로 끝, 안 하면 안 하는 걸로 끝인 거지"

오늘 처음 본 애인데 너무 친근하게 말을 걸어온다. 모르는 사람이 보면 친하게 지내던 사람 같을 것 같다. 나와는 다르게 친구들에게 말을 잘 거는 스타일인 것 같다. 나도 하늘이처럼 모르는 사람에게 말을 잘 걸 수 있으면 좋을 텐데..

선생님은 마지막 교시가 끝난지 얼마 안 되어서 들어와 종례를 빨리 끝내주셨다. 2학년 때 담임 선생님보다도 빠릿빠릿하신 분이시다. 작년에도 선생님이 너무 빠르셔서 고생했는데 이번에도 그럴까 봐 걱정이다.

종례가 끝나자 모두가 급한 일이라도 있는 듯이 빠르게 나갔고 반에는 나와 선생님, 하늘이와 모르는 친구 몇 명만 남아있었다. 딱히 뭘 하려고 남아있는 건 아니고 여유롭게 가방을 싸고 있다 보니 다른 애들이 이미 다 나간 상태였다. 학교 끝나면 어차피 운동 가거나 집에서 빈둥빈둥거리기만 할 텐데 굳이 서두를 필요가 없었다. 오히려 학교에 오래 머물수록 나는 지루한 시간을 때울 수 있어서 좋았다.

선생님은 우리가 왜 안 나가고 기다리고 있는 건지 관심이 없는 듯했다. 그저 가만히 자리에 앉아서 멍하니 정신을 놓고 있는 것 같았다. 마치 과열된 몸체를 식히는 로봇 같았다.

하늘이는 왜인지 반을 나가지 않았다. 다른 애들을 기다리는 것이라기엔 아까 있던 친구들은 모두 나가고 없었다. 그저 가만히 생각을 하는 것 같았다. 나는 하늘이가 무슨 생각을 하는 건지 궁금해서 하늘이를 뚫어져라 쳐다보고 있었다. 자세히 보니 눈이 더 예뻐 보였다. 눈뿐 아니라 전체적인 느낌 자체가 예뻤다. 하지만 화장을 한 것 같진 않았다.

뚫어져라 하늘이를 보고 있었는데 하늘이가 갑자기 내 쪽으로 고개를 돌렸다. 나는 잽싸게 하늘이의 눈을 피하고 창문 밖을 보았다. 내가 창밖을 보고 있자 하늘이는 일어나서 내 쪽으로 걸어왔다.

"날 왜 그렇게 봐? 내가 그렇게 예쁘냐?"

하늘이는 장난 섞인 말투로 말을 건네왔다. 계속 쳐다보고 있던 걸 느낀 건가. 그렇다기엔 하늘이는 분명 칠판 쪽을 보고 있었다. 고개는커녕 눈조차 날 보고 있지 않았다.

"뭐래, 내가 널 왜 봐"

나는 곧장 시치미를 뗐다. 나는 곧바로 가방을 메고 일어났다. 그러자 하늘이는 웃으면서 나에게 말했다.

"너 얼굴 빨개졌어"

내 얼굴이 빨갛나? 왜 빨갛지? 딱히 내가 뭘 잘못한 것도 아닌데. 쳐다보는 것도 그렇게 잘못한 것도 아니지 않나. 난 굳이 왜 거짓말을 하는 거지. 나는 그냥 짜증 내는 듯이 사실을 말했다.

"쳐다봤다 왜!! 쳐다보면 안 되냐?"

하늘이는 내가 소리치자 얼굴을 내 쪽으로 들이밀며 말을 이어갔다.

"그럼 왜 처음에 거짓말 쳤어? 내가 그렇게 예뻐?"

뻔뻔했다. 자기가 예쁘다는 걸 알고 있는 것 같았다. 딱히 안 예쁜 것도 아니라서 뭐라 할 수도 없는 화법이었다. 나는 하늘이의 말을 무시하고 그냥 반을 나섰다. 딱히 할 수 있는 말도 없었고 무슨 말을 하고 싶지도 않았다. 그냥 회피 그 이상도 그 이하도 아니었다.

나는 학교를 나오자마자 곧장 집으로 갔다. 원래는 운동을 하려고 했는데 운동할 기운이 갑자기 나지 않았다. 그냥 집에서 씻고 바로 자고 싶었다. 말 그대로 아무것도 하고 싶지 않은 무기력한 기분이다. 개학날이라 힘들어서 그런 건가.

나는 집에 도착해서 가방을 던져놓았다. 그리고 가방을 던지자마자 오늘 아침에 주웠던 곰돌이 인형이 생각났다. 아직 주인을 못 만나서 돌려주지 못한 채 내 가방에 그대로 들어있었다.

인형 주인을 보면 돌려줘야 해서 인형은 그대로 가방에 놔뒀다. 그저 인형이 눌리지만 않게 위치를 바꿔줬다. 인형은 생각보다 보드라웠다. 강아지를 만지는 듯한 느낌을 주는 그런 인형이다.

'인형 어떻게 돌려주지.,,"

인형의 주인을 어떻게 찾을까 고민하고 있던 중 갑자기 그 사람이 괘씸하게 느껴졌다. 갑자기 길에서 사람을 쳐서 넘어뜨려 놓고 사과를 제대로 하지도 않고 도망가 버린 이상한 사람이었다. 그리고 이 인형 자기 혼자 떨어뜨린 인형인데 내가 굳이 돌려줘야 하는 건가? 소중한 거였으면 이렇게 흘리고 다니진 않았을 것 아닌가.

하지만 이런 나쁜 생각이 들면서도 주인이 아끼는 인형이면 엄청 불안해할 거라는 안쓰러운 생각에 돌려줘야 한다는 생각이 돌려주기 싫다는 생각을 이기고 내 머릿속에 자리 잡았다.

그렇지만 내가 돌려주고 싶다고 찾아가서 돌려줄 수 있는 것이 아니기도 했다. 내가 돌려주고 싶다고 해도 그 사람이 누군지도, 어디 사는지도, 어떤 사람인지도 잘 모르겠는데 그걸 어떻게 돌려주겠는가.

지금 아는 거라곤 그 사람의 보편적인 얼굴과 우리 학교 교복을 입었다는 것과 여자라는 것뿐이었다. 심지어 우리 학교 교복을 입고 있기만 했지 우리 학교 학생이 아닐 수도 있다는 것이다. 이런 상황에서 내가 이 인형을 돌려주고 싶다는 기특한 마음을 가지더라도 돌려주지 못할 수도 있는 것이다.

일단 내가 아침에 아주 잠깐 동안 봤던 얼굴을 조금씩 떠올려야했다. 본지도 꽤 됐고 너무 잠깐 봐서 잘 기억은 나지 않지만 조금씩 기억나는 부분이 있었다.

우선 죄송하다고 대충 외치고 가던 목소리가 꽤나 어린 느낌이었다. 목소리에 힘이 들어가 있었는데도 애 같은 목소리가 강했다. 그리고 피부가 밀가루처럼 하얗고 쌍꺼풀이 선명했다. 결정적으로 얼굴은 어려 보이면서도 어른스러운 느낌을 물씬 풍...

어디선가 생각해 본 듯한 표현이었다. 어디선가 보고 그런 느낌을 받았던가. 아니면 그런 사람을 생각해 본 적이 있는 건가. 아니면 이런 표현을 소설이나 만화에서 봤나. 뭔가 확실히 어디선가 들어본 듯한 표현이었다. 생각이 날 듯 말 듯 한 느낌이 답답했다. 어디서 들었던 것일까. 들은 걸까 생각한 걸까. 뭔가 익숙한 느낌인...

기억났다!! 하늘이를 보고 생각한 표현이었다. 다시 생각해 보면 하늘이를 봤던 게 학교나 어딘가에서 활동 같은 것을 하다 마주친 게 아니라 오늘 학교 가는 길에 봤던 것이었다. 이게 이제야 생각나다니.

"내일 학교 가자마자 돌려줘야겠다."

인형은 내일 학교에서 돌려주기로 하고 갑자기 운동이 가고 싶어져서 운동을 운동 갔다가 돌아와서 씻고 곧바로 잤다. 나름 한 건 없는데 뭔가 일이 많은 것 같은 날이었다. 다행히 잘 때는 마음 편히 잤다. 내일 일어날 일은 꿈에도 모른 채로...

2장 서막

다음날 좀 일찍 일어났다. 딱히 일찍 일어나려고 했던 것은 아닌데 그냥 일찍 일어났다. 일찍 일어난 김에 학교에 일찍 가야겠다고 생각하며 씻고 나갈 준비를 했다. 준비란 말이 거창할 뿐 그냥 머리 감고 세수하는 게 끝이다.

준비를 모두 끝낸 후 가방을 가지고 집을 나섰다. 비교적 어제보다 따뜻한 날씨였다. 어제도 그렇게 썰렁한 날씨가 아니었는데 하루 사이에 비교가 가능할 정도가 되었다. 그렇다고 오늘이 그렇게 덥지도 않았다. 그냥 적당히 비교만 가능할 정도였다.

학교에 도착해 반에 들어가니 하늘이가 먼저 와 기다리고 있었다. 난 집도 가깝고 일찍 출발해서 내가 제일 먼저 왔을 줄 알았는데 의외였다. 하늘이는 얼마나 일찍 나왔길래 벌써 와있는 걸까.

나는 반에 들어가자마자 하늘이에게 다가갔다. 인형을 바로 돌려줘야 했기 때문이다. 나는 하늘이에게 가면서 가방에 있는 곰돌이 인형을 꺼냈다. 그 후 하늘이를 불렀다. 하늘이는 내가 온 걸 미리 알고 있었는지 고개도 안 돌리고 대답을 했다.

"야 너 어제 인형 잃어버리지 않았어?"

"네가 그걸 어떻게 알아? 네가 훔쳐 갔던 거냐? 내가 이거 잃어버리고 얼마나 슬펐는지 알아?"

하늘이는 내 말을 다 듣지도 않고 무작정 나를 쏘아붙였다. 내가 이걸 훔쳐 간 거라고 오해하고 있는 듯했다.

"뭔 소리야. 내가 이걸 왜 훔쳐가. 어제 네가 나랑 부딪히고 떨어뜨렸잖아."

"너야말로 무슨 소리야. 내가 어제 너랑 언제 부딪혔어. 난 어제 너랑 대화 두 번 나누고 그 후론 얼굴 한 번을 안 봤는데"

하늘이는 그 상황이 기억이 안 나는 듯했다. 그리고 하늘이의 오해를 풀기 위해서는 그 상황을 설명해야 했다.

"너 학교 오기 전에 학교에서 달려오다가 나랑 부딪혔었잖아. 그때 이거 떨어져서 내가 주워서 너 주려고 가져왔다고"

하늘이는 그제야 기억이 난 듯 나에게 고맙다고 감사 인사를 하기 시작했다. 나는 하마터면 잃어버린 물건 찾아주고 도둑으로 오해받을 뻔했다.

하늘이는 인형을 받아들고는 손으로 인형을 쓰다듬었다. 행동으로 봐서는 굉장히 아끼는 인형인 모양이다. 저렇게 아끼는 인형을 왜 떨어뜨리는 건지 이해가 되지 않았다. 아끼는 인형이면 안 떨어지게 어디에 잘 걸고 있든지 해야지.

하늘이는 인형을 이리저리 살피다가 나에게 질문했다.

"근데 넌 이거 내 거인지 어떻게 알았어?"

"부딪힌 사람이 너였으니까"

"난 너 얼굴 보지도 못했는데 넌 내 얼굴 어떻게 알아봤어?"

어떻게 알아봤냐니? 그냥 같은 얼굴이니까 알아보지. 한 번도 못 본 얼굴을 알아본 것도 아니고 잊기 힘든 얼굴이기도 하다. 어떻게 설명을 해야 할지 생각하고 있자 하늘이가 먼저 말을 선수쳤다.

"역시 내 얼굴이 잊기 힘들 정도로 예뻐서 금방 알아본 건가?"

화법은 어제와 조금도 다르지 않았다. 아니, 오히려 어제보다 더 뻔뻔해진 것 같다. 예쁘다는 말이 딱히 틀린 말은 아니었지만 인정하기 싫었다. 인정하면 내가 하늘이의 얼굴을 '예뻐서' 기억하게 된 것이 되어버리니까 그게 싫었다.

"그런 거 아니니까 기대하지 마"

나는 최대한 간결하게 딱 잘라 말했다. 하늘이는 실망했다는 듯이 고개를 푹 숙이고 다시 인형을 만지작거리기 시작했다. 난 잘못한 게 없었다. 내가 하늘이 보고 못생겼다고 한 것도 아니고 예뻐서 기억한 게 아니라고 한 것뿐인데 자기 혼자서 상처받고 고개 숙이고 있는 거다...

...라고 생각하고 있는데 아까부터 계속 고개 숙이고 인형만 만지작거리는 것이 신경 쓰인다. 진짜 삐진 건가 싶기도 하고 그냥 인정해 주고 끝낼 걸 싶기도 하다. 내가 한 말이 저렇게까지 삐질만한 말은 아닌 것 같은데 너무 과하게 삐져있는 느낌도 없잖아 있다. 이게 그렇게 잘못한 일도 아닌데 이 정도까지인가 싶다.

"야, 삐졌냐?"

내가 하늘이에게 말을 걸어봤지만 하늘이는 열받으라는 듯이 반대편을 바라보며 책상에 엎드렸다. 단단히 삐진 것 같았다. 못생겼다는 말도 아니고 그 정도로 예쁜 건 아니라는 말이 그렇게까지 삐질 말인지는 아직도 모르겠다. 대체 내가 뭘 잘못한 거지? 하지만 얘를 계속 이대로 놔두면 얘가 나중에 무슨 짓을 할지도 모르는 것이다.

하늘이를 만난 지는 이틀 됐지만 모든 걸 일단 하고 보는 돌직구 성격이라는 것은 알 수 있었다. 그리고 이런 돌직구 성격인 아이에게 찍히는 것은 절대로 해서는 안 될 짓이다. 어떻게든 하늘이를 달래주어야 했다.

"야... 내가 미안해, 혹시 많이 삐졌어?"

하늘이는 반대편을 보고 있던 고개를 내 쪽으로 돌리고 고개를 조금 들어 내 쪽을 째려보는 듯이 보았다.

"얼마나 미안한데?"

얼마나 미안하냐는 질문에 나는 대답을 망설였다. 대답이 부적절해서가 아니었다. 그저 답이 없었다. 미안하지 않았는데 얼마나 미안하냐고? 이 질문엔 대답을 할 수 없었다. 하지만 여기서 미안하지 않다고 솔직하게 말한다면, 상상도 하기 싫은 일이 일어날지도 모른다. 어제 보니 친구도 많은 것 같던데 뒷일은 상상도 할 수 없었다.

"음... 엄청 미안해"

"나 그럼 예쁘다고 인정 하는 거야?"

어이가 없었다. 정말로 다른 것 없이 순수하게 내가 그 정도로 예쁜 게 아니라고 해서 삐진 것이었다니. 유치하기 짝이 없었다. 그저 내 눈엔 칭찬 받고 싶어 하는 어린 애 한 명 같았다. 보면 볼수록 알 수가 없는 애였다.

"그래. 너 예쁘다, 됐냐?"

이 말을 듣자 하늘이는 바로 웃으며 일어났다.

"사실은 나 안 삐졌어. 너한테 예쁘다는 말 들으려고 삐진 척한 거야 ㅎㅎ"

이 말을 하곤 하늘이는 곧바로 반을 나갔고 나는 당했다는 생각이 들었다. 겨우 이런 것에 속아 넘어갔다는 사실이 분했다. 왜 나한테 예쁘다는 말이 듣고 싶은 것이며, 우연히 인형을 찾아준 은혜를 이렇게 갚는다는 게 기분이 나빴다. 역시 가져다주지 말았어야 했다. 은혜를 원수로 갚는 애라는 것을 미리 알았더라면 인형을 찾아주지 않았을 것이다.

그리고 이 일로 인해 시작될 일을 알았다면 사과를 하지 않았을 것이다.

이 날 이후로 하늘이의 놀림 아닌 놀림이 계속되었다. 쉬는 시간마다 내 자리에 와서 내 쉼을 방해하는 건 물론이고 교무실 같은 곳을 갈 때나 이동수업을 할 때마다 느긋하게 가려는 나를 자꾸 끌고 간다. 특히 저번에는 내가 농구하는 걸 보더니 매번 점심시간에 쉬려는 나를 농구장으로 끌고 가서 농구를 시킨다. 그리고 저번에는 하교하고 운동가는 걸 굳이 구경하겠다고 따라왔다.

이걸 거의 개학 이후로 세 달째 당하고 있다. 그리고 충격적인 사실은 하늘이는 그 작고 날씬한 몸으로 운동을 되게 잘했다. 우리 반에선 물론 우리 학교 3학년 여자 전체에서 최고를 겨룰 정도로 운동을 잘했다. 하지만 몸은 빠르지만 힘은 그렇게 세지 않았다. 오히려 힘은 반에서 제일 약한 수준이었다. 어쩌면 하늘이의 팔을 보면 당연한 상식이었다. 저런 얇은 팔이 힘을 낼 수 있다면 얼마나 낼 수 있겠나.

3장 더블 데이트?

오늘도 쉬는 시간에 엎드려 자려고 하니 하늘이가 다가왔다. 옆자리라서 자리에서 말해도 들릴 텐데 왜 굳이 가까이 와서 말을 걸려고 하는지를 모르겠다. 하늘이는 나에게 와서 내가 자신을 쳐다볼 때까지 기다렸다. 저번부터 박하늘이 계속 하고 있는 짓이다. 내가 안 보면 볼 때까지 계속 내 뒤통수만 쳐다보고 있다. 내가 부담감에 쳐다볼 거라는 걸 알고서 하는 짓이다.

오늘도 언제나처럼 그냥 바로 하늘이 쪽으로 고개를 돌렸다. 그리고 하늘이는 내 쪽에 얼굴을 내밀고 있었다. 하늘이와 내 얼굴 사이의 거리는 15cm 자 하나가 채 못 들어올 길이였다. 나는 놀라서 바로 얼굴을 뒤로 뺐고 하늘이는 날 골탕 먹이기에 성공했다는 사실에 기뻐했다.

그리고 기뻐하던 와중에 하늘이는 웃는 것을 멈추고 내 쪽을 바라보며 말했다.

"야 나 오늘 아무것도 안 해서 시간 남는데 너 오늘 뭐 일정 있어? 없으면 나랑 놀자"

놀자는 말이었다. 하지만 방심해서는 안 된다. 먹으러 갔다가 무슨 골탕을 먹을지 모른다. 의심하고 또 의심해야 한다.

"그럼 현욱이도 같이 놀자. 너도 친구 한 명 더 불러"

혹시 몰라 현욱이도 같이 가자는 말에 하늘이는 실망한 듯 잠깐 고민하더니 흔쾌히 수락하고 자신도 친구 한 명을 데리고 가겠다고 했다. 하늘이는 틀림없이 김소이를 데려올 것이다. 둘은 따로 다닐 때가 없다. 화장실을 갈 때조차 같이 다니는 둘이었으니 놀러 가는데 김소이가 안 올 리가 없다.

학교가 끝나고 현욱이와 학교 정문 앞에서 하늘이를 기다렸다. 예상대로 하늘이의 옆에는 김소이가 있었다. 박하늘은 항상 누군가와 같이 다니면 그 누군가는 항상 나 아니면 김소이였다.

박하늘은 우리를 노래방으로 데리고 갔다. 딱히 노래를 안 좋아하는 나는 별로 반기지 않는 장소였다. 노래방에 도착하자마자 박하늘과 김소이는 신나는 노래들을 예약해놓고 재밌게 놀았다. 노래방에 자주 가는 현욱이도 꽤나 잘 즐기는 모습이었다. 그저 나만 그 상황을 제대로 즐기지 않았다.

그러다가 박하늘이 내 손에 마이크를 강제로 쥐어주면서 발라드를 한 곡 부르라고 했다. 딱히 생각나는 곡이 없어서 안 부르겠다고 하니 원수 같은 최현욱은 내가 잘 부르는 곡을 안다며 멋대로 내가 아는 노래 하나를 예약해버렸다. 예약을 하자마자 긴장되기 시작했다.

마침내 앞에 노래들이 다 끝나고 내 차례가 왔다. 내가 마이크를 잡고 첫 소절을 부르자 방금까지 장난치던 박하늘은 놀란 듯이 눈을 동그랗게 뜨고 나와 가사가 나오는 모니터를 번갈아가면서 보았다. 박하늘한테는 그냥 못한다고 안 놀려줘서 고마울 따름이었다.

나는 발라드를 음이탈 없이 완벽하게 완곡해냈다. 솔직히 눈에 띄는 음이탈은 없었지만 뭔가 좀 아쉬웠다. 더 잘 부를 수 있었을 것 같은데 그렇게 못 한 게 아쉬웠다. 내가 이래서 노래 방을 안 좋아한다. 잘 부르면 그거보다 더 잘, 또 더 잘 부르면 또 더 잘 부르기를 원하게 된다. 결국엔 아무리 잘 불러도 만족이 안 되게 된다.

하지만 그보다 더 싫은 건 난 내 노래 실력에 아쉬워하며 자책하고 있는데 다른 애들은 나를 치켜세우기만 하는 것이다. 지금도 하늘이와 소이는 목소리를 잘 쓴다며 칭찬만 해주고 있고 현욱이도 노래 실력 안 죽었다며 칭찬만 늘어놓고 있다. 솔직히 내 평가로는 나보다 하늘이가 더 잘 불렀다. 하지만 애들은 내 칭찬만 늘어놓고 있으니 진실 되어 보이지도 않는다.

하지만 하늘이는 내 기분을 아닌지 모르는지 계속해서 칭찬했다.

"진짜 목소리가 완전 미쳤다. 너 완전 잘 부른다. 내 이상형이 노래 잘 부르는 남잔데 이 정도면 너 내 남친 할 수 있겠다."

하늘이는 뜻을 알 수 없는 장난을 쳤고 현욱이는

"우리 현이는 너 같은 애랑은 안 사겨"

라며 나 대신 답을 해주었다. 그러자 하늘이는

"너는 니 여친 소이나 챙겨. 현이는 내 거니까"

라고 반박했다.

방금 문장은 이상한 얘기가 대용량으로 함유된 문장이었다. '니 여친 소이'? 현욱이가? 소이랑? 현욱이가 소이랑 사귄다는 얘기는 처음 듣는 얘기였다. 현욱이도 급하게 하늘이의 말을 얼버무렸지만 이미 늦었다. 당사자인 둘이 모를리는 없고 하늘이가 말했으니 결국 모르는 것은 나 혼자였으니까.

'그리고 난 왜 네 거야? 난 소유물이 아니야. 난 내 거라고.'

하지만 지금 이런 걸 따질 여유가 없다. 김소이랑 최현욱이?

"야 최현욱 너 김소이랑 사겨? 왜? 언제부터? 뭐 때문에? 나한텐 왜 말 안 했어?"

"아, 박하늘, 저 입을 진짜 꼬매 버려야 돼."

"아, 현이 몰랐어? 난 현이도 아는 줄 알았지~"

거짓말이었다. 하늘이의 입가엔 미세하게 미소가 있었다. 그 와중에도 당사자인 소이는 아무 말도 안 하고 조용히 보고만 있었다. 아니 오히려 듣는 사람의 입장이던 내가 더 얘기를 많이 했다. 사실 얘기를 안 할 수가 없었다. 그런 걸 나한테 비밀로 하다니...

내가 현욱이에게 훈육을 하듯이 혼내고 있으니까 하늘이는 나에게 놀리듯이 말을 걸었다.

"야, 이현, 부러우면 부럽다고 말을 하지 왜 애를 혼내고 있냐. 정 부러우면 넌 나랑 사귀든가."

"넌 이런 상황에도 장난을 치는구나. 난 지금 배신감이 몰려오는데"

잠시 뒤 노래방에서 나오고 묘한 기류가 흘렀다. 나는 최현욱을 노려보고 최현욱은 하늘이를 노려보고 소이는 현욱이의 손을 잡고 있었다. 그렇게 이런 상태를 유지하고 있다가 하늘이가 먼저 침묵을 깼다.

"야 너희 그럴 거면 그냥 너희는 너희끼리 먹고 우리는 우리끼리 먹자, 어차피 들킨 김에."

"그래 그러자"

현욱이는 기다리던 말을 들었다는 듯이 곧바로 대답하고 소이의 손을 잡고 식당가 쪽으로 갔다. 그러자 하늘이도 잠깐 기다리다가 나를 끌고 식당가 쪽으로 갔다.

나와 하늘이는 식당가에 있는 떡볶이 집에 들어갔다. 물론 내 의견은 조금도 반영되지 않았다. 매운 거 못 먹는데...

하지만 하늘이는 매운 걸 좋아하면서 내가 매운 걸 못 먹어서 그런 건지 가장 순한 맛을 시켜줬다. 항상 이런 걸 보면 하늘이는 착한 건지 나쁜 건지를 알 수가 없다. 분명 착한 건 아닌데 그렇다고 나쁘지도 않아서 애매한 순간이 한 두 번이 아니다.

떡볶이가 나오고 하늘이와 나는 떡볶이를 먹으면서 대화를 하기 시작했다.

"너 최현욱이랑 김소이 사귀는 거 언제부터 알았어? 아니 쟤네 언제부터 사귀었어?"

"걔네 사귄지 좀 됐어. 지금 거의 두 달 다 되어 가는데 넌 어떻게 그걸 모르냐? 걔네 SNS에도 티 엄청 내고 다니는데"

"SNS도 안 하고 쟤네가 말도 안 해주는데 내가 어떻게 알아. 그럼 넌 쟤네 사귀는 거 바로 알았던 거야? 와 진짜 최현욱 배신감 느껴지네"

"이현 너도 부러우면 나랑 사귀자니까?"

"너 장난으로 그런 말 하는 거 아니다."

내가 혼을 내니까 하늘이는 또 삐진 척 고개를 떨구고 삐진 척을 하려고 하였다.

"이제 안 속으니까 삐진 척 하지마라"

"치~ 얼마 전까진 속았었는데 아쉽네."

"그땐 널 모르니까 그런 거였고 이제는 안 속아."

"아쉽다. 잘 속아주는 네가 더 좋았는데 지금은 덜 좋아. 그래도 내 남친감으로서는 충분해."

"뭐래"

나는 그 말에 웃으면서 대답했다. 요즘 들어 하늘이가 이런 장난을 많이 친다. 하지만 하늘이가 치는 다른 장난들을 생각해 보면 이런 장난은 오히려 고마운 수준이다. 하늘이는 평소에 반박하기도 어려운 장난을 많이 치니까 이런 장난은 그냥 좀 재밌는 수준이다.

그러다 하늘이는 떡볶이를 먹다가 갑자기 뜬금없이 나에게 질문을 했다.

"넌 네가 잘 생겼다고 생각해?"

하늘이가 무슨 말을 하면 항상 화자의 의도를 파악해야 한다. 그리고 지금도 마찬가지다. 하늘이는 무슨 의도로 이런 말을 했을까 생각해야한다. 그리고 나는 결론에 다다를 수 있었다. 내가 잘생겼다고 생각한다고 대답하면 그걸로 또 놀리려는 것이다. 하지만 서당 개가 3년이면 풍월을 읊지만 인간은 3개월 정도 밖에 안 걸린다.

나는 3개월 동안 하늘이와 같이 다니면서 하늘이에게 완벽히 정응했고 내가 이런 것에 당할 리가 없다. 그리고 애초에 난 내가 잘 생겼다고 생각하지도 않기 때문에 그냥 내 생각 그대로 말했다.

"별로. 난 못생긴 것 같은데"

"왜?"

"왜냐니? 못생겼으니까 못생긴 거지"

내 말을 듣고는 하늘이는 내 얼굴이 뚫어질 정도로 쳐다보더니 작게 "잘 생겼는데.." 라고 말하고는 계속 떡볶이를 먹었다. 하늘이는 떡볶이를 먹으면서도 중간 중간 고개를 올려다보면서 내 얼굴을 주기적으로 봤다. 내가 체하는 걸 보고 싶어서 그러는 건가 싶기도 했다. 만약 그게 하늘이의 계획이었다면 하늘이의 계획은 어느 정도 성공한 듯싶다. 먹는 중에도 떡볶이가 목을 잘 못 넘어갔다.

떡볶이를 다 먹고 나온 후 소이, 현욱 커플이 합류해서 카페로 갔지만 난 여기서 뭔가를 더 먹으면 뱃속에서 다이너마이트가 터지는 느낌을 느껴볼 수 있을 것 같아서 디저트로 뭔가 더 먹진 않았다.

그래서 난 아이스티를 시키고 다른 애들도 각자 음료를 시키고 앉아서 얘기를 했다. 물론 대부분의 얘기는 현욱이와 소이에 대한 얘기였다. 그리고 그 얘기들은 거의 다 나만 모르는 얘기였다.

그러다가 시아가 가방에서 핸드크림을 주섬주섬 꺼냈다.

"이거 현욱이가 생일선물로 사준거야. 냄새 진짜 짱 좋아. 하늘이 너 발라볼래?"

"헐, 좋아 좋아. 나 손에 짜줘"

커플이 어떻게 만났냐는 얘기를 하다가 갑자기 핸드크림이라니 여자들의 대화 흐름이 더욱 이해가 되지 않았다

"헐!!"

"헐~ 너무 많이 발랐다. 이거 좀 나눠발라야겠는데? 현아 너 손 이리 줘봐"

내 손은 딱히 건조하지 않아서 핸드크림이 필요 없었지만 하늘이가 내 손을 강제로 끌고 가서 자기 손에 있던 핸드크림을 내 손에 조금 덜어주었다.

소이가 말한 대로 냄새는 정말 좋았다. 손에서 은은하게 복숭아 향이 나서 마음에 들었다. 하지만 아까 말했듯이 손이 건조하지가 않아서 별로 필요가 없다.

그리고 핸드크림을 바른 후에는 하늘이가 내 쪽을 보더니

"나 어떤 게 제일 예쁜 것 같아? 묶은 거? 풀은 거? 반묶음?"

라고 말하면서 머리를 손으로 잡았다 풀었다하면서 머리를 이리저리 움직였다. 솔직히 얼굴 자체가 예뻐서 뭘 하든 예뻤다. 하지만 그렇게 말하면 또 하늘이가 의기양양해 하면서 여기저기 자랑하고 다닐 것 같아서 그렇게는 말 못 하겠고 그냥 보여준 것 중에서 가장 예뻤던 것을 가장 예뻤다고 말했다.

"난 반묶음이 제일 예쁜 것 같은데?"

"내 얼굴이 예뻐서 예뻐 보이는 거 아니야?"

"뭐래..."

속마음을 들킨 것 같은 느낌이었다. 가끔 하늘이는 내 속마음을 읽는 건가 싶을 정도로 내 마음을 잘 맞힐 때가 있다. 그럴 때 보면 하늘이는 정말 신기한 것 같다. 소이는 이런 우리를 보고 하늘이와 내가 잘 어울린다고 칭찬을 해주었다.

"나도 오랜만에 스타일링도 바꿔야 되니까 반묶음 해야겠다." 라고 말하곤 손목에 있던 머리끈으로 뒷머리를 잡아 올려 묶어서 반묶음을 묶었다. 아까도 봤지만 하늘이의 반묶음은 정말 연예인보다 예쁠 정도로 예뻤다. 하늘이를 아이돌이라 소개하면 몇몇은 믿을 정도로 예뻤다. 평소엔 마냥 아이 같던 비주얼도 반묶음을 하니 제법 학생다워졌다.

하늘이가 머리를 묶은지 얼마 안 돼서 현욱이가 아버님 때문에 먼저 갔고 소이도 현욱이와 함께 가버렸다. 그래서 이젠 하늘이와 나 둘만 남았다. 이제 슬슬 가자고 말하자 하늘이는 나를 집까지 데려다주겠다고 했다. 저 여리여리한 몸으로 나를 집에 바래다주겠다는 말은 그저 웃기기만 했다. 그래서 거절하였지만 하늘이는 그래도 고집을 피우며 나를 데려다준다고 하였다. 그래서 난 집 앞까지만 바래다주는 걸로 했다.

집과 카페가 가까워서 카페에서 몇 분 걷다 보니 집 앞이었다. 나는 잘 가라며 손 인사를 해주고 공동현관의 비밀번호를 눌렀다. 그때 하늘이가 날 크게 불렀다.

"야, 이현!! 나 사실 너 좋아하는데 네가 계속 못 알아채서 내가 말하는 거야. 나 너 엄청 좋아해. 너 농구 잘하는 것도 좋고, 네가 착한 것도 좋고, 내 장난 잘 받아주는 것도 좋고 네 행동 하나하나가 다 좋아. 그러니까 나 너 어떻게든 꼬실 거야. 그러니까 너 마음의 준비 잘 해둬. 나중에 나한테 반하면 내가 제대로 다시 고백할 거야!!"

하늘이는 이렇게 말하고 부끄러운지 내 대답도 안 듣고 도망쳐버렸다.

4장 안 좋아하고 못 배기는 하늘이

그 다음 날부터 하늘이의 노력은 계속되었다. 얼마 전엔 내가 친구들과 대화를 하다가 배구 잘 하는 사람이 멋있다는 말을 했었는데 그걸 하늘이가 듣고 그 다음 날부터 배구연습을 열심히 했다.

그리고 하늘이는 그 고백이후로 나와 다른 곳을 더 많이 다녔다. 하늘이는 노래를 잘 불러서 단 둘이 노래방도 갔고, 옷을 사러가기도 하는 등 많은 곳을 돌아다녔다.

그리고 그 뿐만 아니라 간간이 날리는 플러팅 멘트는 내 마음을 흔들기에 적당했다. 다른 사람이 했다면 별 특이사항 없을 것 같은 말도 하늘이의 앳된 목소리로 들으면 어찌나 좋은지 알 수 있을 리가 없다.

이렇게 항상 하늘이랑 같이 다니고 하루 종일 하늘이만 보다 보니 하늘이는 이제 내 일상이 되어버렸다. 이젠 하늘이가 없으면 무기력해지고 하늘이가 힘이 없으면 나도 힘이 빠지고 하늘이가 힘들어하면 나도 힘들고 하늘이가 아프면 내가 걱정되는 지경에 이르러 버렸다.

이제는 나도 하늘이를 좋아하는 것 같다. 하지만 난 이걸 누군가에게 말하지 않았다. 당사자인 하늘이에게도 말하지 않았다. 왜 말하지 않았냐고 물어본다면 딱히 이유는 없다. 그냥 나는 하늘이처럼 플러팅도 잘 못하고 표현도 잘 못해서 말하지 못했다.

오늘도 하늘이가 학교에 오지 않아서 걱정이 되었다. 큰 일이 아니라고 해서 크게 걱정은 안 했지만 그래도 하늘이를 못 보는 게 아쉬웠다. 학교가 끝나고도 하늘이와 어딜 가지 않으니 집에서 빈둥빈둥 놀기만 했다. 지금쯤이면 하늘이랑 저녁 먹고 있었을 텐데...

그때 폰이 울렸다. 하늘이의 전화였다. 나는 전화를 곧바로 잡아들었다. 하늘이는 무슨 일이 있던 사람치고는 너무 좋은 목소리와 높은 텐션으로 무덤덤하게 내가 심쿵할 만한 멘트를 아무렇지 않게 말했다.

"목소리 듣고 싶어서 전화했고 얼굴 보고 싶어서 너희 집 앞으로 왔어. 내려와. 보고 싶어."

하늘이는 할 말을 하고 곧바로 끊었고 난 옷만 급하게 갈아입고 1층으로 내려갔다. 1층에는 웃으며 나를 기다리는 하늘이가 있었다. 하늘이는 나를 보자마자 아이처럼 활짝 웃으며 팔을 흔들며 나를 반겨주었다. 그리곤 나에게 달려와서 안겼다. 평소였다면 안겨있는 하늘이를 떼어냈겠지만 오늘은 떼어내지 않았다. 그저 오늘 못 본 만큼 좀만 더 안고 싶었다.

하늘이는 안겨있는 채로 얼굴만 들어 작은 키로 날 올려다보고는 나와 걷고 싶다고 산책을 가자고 했다. 하지만 이 제안은 거절할 수가 없는 제안이었다.

우리는 몇 분 정도 말없이 걷다가 하늘이가 먼저 입을 열었다.

"내가 너 꼬시겠다고 했었잖아. 어때? 효과 있는 것 같아?"

"음... 네가 전보다 더 예뻐 보이는 거 빼곤 없는 것 같은데"

"너, 내가 너 언제부터 좋아했는지 알아?"

"음... 글쎄? 인형 찾아줬을 때?

"사실 난 너 처음 보자마자 반했어. 너 그만큼 멋있고 잘생긴 애야"

하늘이는 이 말을 하고 멈춰서더니 내 옷자락을 잡고는 고개를 떨구로 바닥을 보며 나에게 조심스레 말했다.

"너 이제 나 좋아하지? 너 다 보여, 나 좋아하는 거. 그러니까 이제 우리 사귀기만 하면 되겠다, 그치?"

"그러네, 우린 사귀기만 하면 되겠네."

"너... 내 남자친구 할래? 나 잘해줄 자신 있는데.."

이 말을 듣고 나는 하늘이에게 한 발자국 더 가까이 다가가 하늘이의 양 볼을 손으로 잡고 하늘이의 고개를 들어 나를 보게 한 뒤 말해주었다.

"당연히 하지"

나는 그 고백을 받아주고 하늘이에게 입을 맞췄다. 지금의 나도 어떻게 그런 행동을 했는지 모르겠다. 그저 몸이 끌리는 데로 행동했고 하늘이도 적잖게 당황한 듯 했다.

하늘이는 잠시 당황한 채 굳어있다가 아무 말 없이 그냥 가만히 내 품에 안겼다. 그렇게 안겨 있다가 품에 묻혀있던 얼굴을 꺼내 나를 올려다보며 나에게 물었다.

"나 예쁘다는 거 진짜야?"

"당연하지. 네가 이 세상에서 제일 예뻐"

"그럼 나보고 왜 안 예쁘다고 했어? 개학 다음날에"

"사실 그때도 예뻤는데 괘씸해서 안 예쁘다고 했어. 그게 그렇게 신경 쓰였었어?"

하늘이는 다시 얼굴을 내 품 속에 파묻고 나지막이 "나빴어"라고 말했다. 그리고 몇 분 동안 계속 안겨 있다가 하늘이를 집에 바래다준 뒤 난 집에 들어왔다.

5장 내 여자친구는 구미호

그리고 그다음 날 하늘이와 나는 정식적인 첫 데이트를 했다. 첫 데이트엔 영화관을 갔다. 하늘이가 기대하던 공포영화가 개봉을 해서 보러 가고 싶어 하는데 하늘이 앞에서 공포영화를 못 본다고 하기 부끄러워서 말을 못 해서 결국 공포영화를 보러 와버렸다.

공포영화의 첫 부분은 엄청 무서웠다. 영화 처음부터 귀신들이 잔뜩 등장했다. 그리고 영화의 중반부부터는 기억이 나지 않는다. 내가 너무 무서워하니까 하늘이가 내 손을 잡아줬다. 그 후부터 계속 내 신경이 손에 집중되는 탓에 영화의 내용을 하나도 이해할 수가 없었다. 하지만 너무 좋았다. 영화를 다보고 카페에 들어가서는 내 오른손은 하늘이의 왼손을 놓아주지 않았다.

사귀기 10분 전 포옹, 사귀고 5초 뒤 키스, 사귀고 하루 뒤 손잡기. 그럼 이런 걸 보고 내가 여우 같다고 생각할 수 있다. 하지만 난 억울하다. 난 여우랑 조금의 관련도 없는 미련 곰탱이다. 오히려 여우는 하늘이 혼자 하고 있는 역할이다. 아니, 일반 여우도 아닌 꼬리 아홉 달린 구미호가 틀림없다. 어떻게 날 그렇게 잘 홀리는지 모르겠다.

그리고 구미호를 여친으로 둔 미련 곰탱이는 오늘도 끊임없이 놀림 받고 있다. 오늘만 해도 친구들과 대화하고 있는데 갑자기

와서 나한테 볼뽀뽀를 하고는 도망가 버려서 얼마나 놀랐는지 모른다. 하지만 딱히 이런 여자친구가 싫지는 않다.

여담으로 현욱이와 소이 커플은 아직도 잘 사귀고 있다. 그리고 하늘이와 사귀고 나서 하늘이에게 들은 사실인데 카페에서 핸드크림을 많이 짠 게 실수가 아니라 일부러 그랬다는 것이다. 내 손을 잡기 위해서. 지금 생각해 보면 하늘이도 참 귀여운 것 같다. 난 이런 하늘이가 내 여자친구라서 너무 좋다. 언제 구미호로 변할지 모르는 하늘이라고 하더라도 난 사랑할 자신이 있다. 아니, 난 하늘이가 구미호 같아서 좋다.

"야, 구미호, 사랑해."

나와의 어린 사랑 끝.

제6화 한 사랑

"저, 저기..!"

달콤한 말이 입안을 맴돈다. 당장이라도 얼굴이 터질 것만 같이 붉어지는 것을 느꼈지만, 난 애써 무시한 채 나의 눈앞에 있는 그를 눈동자에 담기 바빴다. 학교 뒤뜰에 있는 이 작은 공원은 봄만 되면 분홍빛이 가득한 벚꽃이 만개해 학교 고백 장소로 유명하다 듣긴 하였지만 이 정도일 줄이야. 나는 터질 것처럼 쿵쾅되는 심장이 분명 주변의 분위기 때문이리라 치부하며 손가락을 꼼지락거렸다.

그는 계속해서 입만 들썩이는 내가 답답하였는지, 약속이 있다며 신경질적으로 말하였다. 하지만 짜증 내는 모습도 이상하게 나의 눈에는 멋있게 비쳤다. 정말로 내가 콩깍지가 단단히 씌웠구나, 저런 모습도 멋있어 보인다니..

 나는 조심스럽게 뒤에 소중히 쥔 편지를 그에게 건네려 손을 움직였다.

'한사랑, 할 수 있어!'

 후... 하.. 심호흡을 한 뒤 천천히 입을 열었다. 자신의 목구멍에서 꽉 막힌 듯 멈춰져 있던 사랑의 문장을 끄집어내었다. 우습지만 이때를 위해 집에서 거울을 보며 사흘동안 연습하였다. 연습대로라면 진즉에 시크하게 내밀었을 편지봉투를 든 손이 잘게 떨렸다. 입을 수차례 뻥긋거렸다 닫았다 하였지만, 곧 눈을 질끈 감고 입을 열었다.

"나랑 사귀어, "

1장. 새로운 사랑

"으아악-!"

쿠당탕탕

 나는 깜짝 놀라 침대에서 벌떡 일어났다. 이마는 이미 땀으로 축축 젖어 송골송골 맺혀있었고 머리는 헝클어진 채 피부에 달라붙어 떨어질 생각을 하지 않았다. 망할, 이제껏 안 꾸다가 왜 오늘 꿈에 그때 기억이 나타나선... 난 바닥에서 힘겹게 일어나 마른세수를 하였다.

'하필 오늘은 새 학긴데 조짐이 안 좋아..'

 벽시계를 쳐다보니 시간은 6시 30분. 학교 갈 준비를 하기에는 너무 이른 시간이었다. 원래라면 핸드폰을 들며 놀다 급하게 준비를 하였겠지만, 새 학기이기도 하고 한시라도 빨리 그때의 기억을 지우고 싶었던 나에겐 이른 시간이더라도 몸을 움직여 준비하는 선택지밖에 없었다. 생각을 마친 난 한숨을 쉬며 힘없이 걸어가 방문을 열었다.

끼익-

"다녀오겠습니다!"

 무언가 준비하는 장면이 삭제되었지만 그러려니 하고 넘어가자. 학교 갈 준비하는 게 다 똑같지 뭐 있나. 새 학기라 잔뜩 들뜬 난 활짝 웃으며 등굣길을 걸어갔다.

 오늘따라 햇빛이 더욱 화창하고 하늘이 맑은 것 같은 기분이 들었다. 봄을 알리듯이 벚꽃은 활짝 피어 새 학기를 맞이하는 학생들을 반겨주었다. 이게 바로 새학기의 힘인가? 매일 아침 등교하느라 지친 몸도 오늘따라 생각대로 움직이는 것만 같았다.

 그렇게 풍경에 정신이 팔려 한 걸음, 두 걸음 발을 바삐 움직이니 어느새 자신이 학교 정문에 다다랐다는 것을 깨달았다.

[느리울 중학교]라 쓰여있는 문은 오늘따라 더욱 빛을 발하는 것처럼 먼지 한 톨 없이 반짝였다. 난 긴장 반, 설렘 반을 안고 문을 지나려던 때였다.

턱-

"악-!"

 문을 넘기 직전, 옆을 지나가던 사람과 부딪친 것이었다. 얼마나 세게 부딪쳤는지 나의 몸은 붕 뜨며 바닥으로 곤두박질쳤고, 시야는 한순간에 뒤바뀌었다.

'아, 겁나 아파.'

손바닥을 들어보니 살은 다 까지고 긁힌 상처 사이사이로 핏방울이 고이기 시작하였다. 난 잔뜩 성이 난 듯이 눈썹을 찌푸리며 고개를 올려 나와 부딪친 사람을 쳐다보았다. 그래, 분명 사과를 받으려 했을 뿐이었다.

화아아-!

시야가 맑아지며 주위가 온통 허옇게 물들었다. 분명히 이 주변에는 사람이 많았는데도 지금 이 순간만큼은 그 애와 나밖에 없는 듯한 착각이 들었다. 가슴이 저릿하고 사고가 잠시동안 멈추었다. 난 그 애를 멍하니 쳐다보았다.

사랑이었다.

2장. 운명

"여, 한사랑! 여기야!"

이건 운명이다. 분명 운명일 것이다. 아니, 필시 운명이어야만 한다. 그런 게 아니고서야 등굣길에 부딪쳤던 그 남자애가 같은 반일리가. 무려 8분의 1 확률을 뚫고 이렇게 올해를 같이 생활하게 되다니. 난 문을 열고 한참 동안을 가만히 서 있었다. 믿기지가 않는 지금 이 상황에 침을 꼴깍 삼키며 말이다.

"야, 한사랑!"

"어, 어?"

익숙한 목소리에 정신이 번뜩 들어 소리가 난 곳을 쳐다보니 그곳에는 자리에 앉아 손을 흔드는 내 친구, 조연일이 있었다. 연일이는 손을 까딱이며 거기서 뭐 하냐는 듯 빨리 오라며 손짓하였다. 그제야 자신이 문 앞에서 멍청하게 서 있었다는 사실을 자각하고 서둘러 연일이의 옆자리에 앉았다. 창피함이 몰려와 얼굴이 붉게 물드는 것 같았다. 하지만 그럼에도 그 남자애에게 눈길이 가는 건 어쩔 수 없었나 보다.

"너 혹시 쟤 알아?"

나는 연일이에게 그 남자애를 가리키며 물었다.

"쟤? 성실한 말하는 거야? 쟤 엄청 유명하잖아."

뭐? 나는 연일이의 말을 되물었다. 저 남자애가 유명했을 줄이야. 물론 인기가 없을 것 같다는 것은 절대 아니었다. 저 외모에 성격도 착한데 유명하지 않을 리가. 난 등굣길 때를 떠올렸다.

"괜찮아? 어디 다친 곳은 없어?"

반듯하게 내린 머리카락과 조각 같은 이목구비, 왜 주변에는 연예인 같은 외모가 없나 했더니 그 외모가 다 이 애한테 같구나, 이해할 수 있을 만한 얼굴. 그 자체였다.

"미안해서 어떡하지. 일단 이 밴드라도 쓸래..?"

난 그가 준 밴드를 쳐다보았다. 그가 조심스럽게 건네준 밴드는 귀여운 리본이 달린 헬로키티 밴드였다. 그는 그런 나의 반응을 보며 마치 찔리기라도 한 듯 얼굴을 붉히며 아는 동생 주었다고 급하게 변명 아닌 변명을 하였다.

'귀엽다.'

무심코 그런 상상을 해버렸다. 그는 밴드를 주고 급한 일이 있어 먼저 간다고 미안하다 말하며 빠르게 자리를 떴다. 점점 멀어지는 그의 뒷모습이 점이 되어 보이지 않을 때까지 그를 쳐다보았다. 도저히 시선이 떨어지지 않았다.

"한사랑!"

성실한 이라고 했었나? 어쩌면 작년에 들어본 이름일 수도 있겠다는 생각이 들었다. 어딘가 익숙한 이름이었기 때문이다. 기억력이 안 좋은 나조차 기억하는 이름이라면 분명 인기가 많은 아이겠지..

"한사랑! 정신 차려!"

으악! 귓가 바로 옆에 천둥번개가 치는 것만 같은 찌릿한 느낌에 고개를 번쩍 들어 올렸다. 이 정도면 고막 터진 거 아닌가 싶어 고개를 들었더니 예상 범인이 눈 앞에 있었다. 연일이었다.

벌써 시간이 이렇게 됐던가. 주위를 둘러보니 교실 안은 이미 어두컴컴해져 있었다. 생각보다 새 학기 첫날은 별거 없었다. 중학교에 갓 입학한 1학년도 아니고, 곧 있으면 예비고등학생인 3학년이니까. 출석체크와 나에 대한 소개서 쓰기, 과목 오리엔테이션. 이게 첫날의 일정이었다. 솔직히 말해서 그런 것들조차 정신없이 지나가기도 하였고, 온통 실한이에 대해서만 생각해서 그런지 시간이 쑥쑥 지나갔다.

"한사랑, 너 어디 아파? 새 학기 첫날부터 왜 이래."

"연일아."

난 목소리를 낮추며 연일이를 불렀다. 그에 연일이는 의아한 표정으로 무슨 일이냐며 말하였고 그런 연일이의 모습에 난 입술을 들썩이다 입을 열었다.

"나 좋아하는 사람 생긴 것 같아!"

난 얼굴을 붉히고 활짝 웃었다. 새 학기 첫날부터 좋아하는 사람이 생긴다니 조금 웃기지만 어쩌랴, 정말로 심장이 쿵쾅될 정도로 좋아하는데. 나는 눈을 초롱초롱하게 빛내며 연일이의 반응을 기다렸다. 아직도 그를 생각하면 심장이 크게 뛰었다. 그녀는 고개를 끄덕이면서 말하였다.

"그래? 누구려나. 음... 성실한인가?"

헉. 순간 놀라 숨을 들이쉬었다. 뭐야, 얘. 어떻게 알았지? 그보다 놀라지도 않네? 난 놀라 눈동자가 커진 채로 그녀를 쳐다보았다. 그녀는 그런 날 보며 픽 웃을 뿐이었다.

"내가 너 한 두 번 봐? 5년 동안 친구였는데 너 금사빠인 거 그거 하나 모르게?"
"뭐어-? 내가 금사빠라고?"
 아무리 그래도 그렇지 금사빠라니! 너무하잖아! 난 절대 금사빠가 아니란 말이다. 눈을 부라리며 연일이를 보고 있었으나 그녀는 눈 하나 깜빡하지 않고 빨리 가방이나 챙기라며 한심하게 쳐다보고는 고개를 절레절레 돌렸다.

3장. 만남

"야, 조연일, 조연! 같이 좀 가!"

"네가 거북이냐? 빨랑 뛰어와! 거북이도 너랑 시합하면 이기겠다."

"이 씨, 조연! 너 잡히면 죽는다!"

조연일과 조연은 내가 초등학교 4학년 코찔찔이였을 때부터 친구였던 애들이었다. 연일이는 그래도 조용하고 시비는 안 거는데 조연 쟤는 진짜! 이번에 조연이랑 같은 반이 안되고 연일이와 같은 반이 된 게 신의 한수지, 만약 쟤와 같은 반이 되었다면 하루도 빠짐없이 계속 싸웠을 것이다.

나는 낼 수 있는 최대한의 속도로 다리를 움직이며 복도를 가로질러 그녀를 잡으려 갔다. 아니, 정정한다. 잡으러 가려고 했다.

턱-!

앞을 제대로 보지 않으며 연이만 쳐다본 탓이었을까, 또 누구와 부딪치고 말았다. 왜 올해엔 부딪치기만 하는 것인가.. 아직 새 학기가 시작된 지 사흘도 안 지났는데 벌써 2번이나 부딪친 것이었다. 무, 물론! 결과가 안 좋지 않은 것은 아니지만 왜 계속 부딪치는 건데..

'제발 정신 좀 차리고 살아, 한사랑!'

"미, 미안해! 앞을 제대로 안 봐서!"

난 고개를 꾸벅 숙이고 땀을 뻘뻘 흘리며 나와 부딪친 애에게 사과하였다.

"아.. 괜찮아! 나도 앞을 잘 안 본 거니까."

어, 잠시만. 뭐지? 이 익숙한 목소리에 눈동자가 잘게 떨렸다. 마치 나에게 '그 꿈'을 심어준 장본인이자 내가 2년 동안 짝사랑했던 그 새, 아니 그 애와 똑같은 목소리였다.

'내가 착각한 걸 거야. 분명 착각한 것일 거라고. .. 하지만 너무 비슷한데?'

온갖 생각이 머릿속에 맴도는 나는 쉽사리 숙인 고개를 들지 못하고 몸을 바들바들 떨었다. 다시는 보고 싶지 않은 인물, 좀 많이 꺼린 인물. 난 고개를 천천히 들어 올렸다.

그러자 보이는 건 노란색의 [차인남]이라 쓰여있는 명찰.

'... 에이 씨.'

그것을 모자마자 딱 그 생각밖에 안 들었다. 2학년 때 차인 이후로 한 번도 얼굴을 안 봤으니 그이 얼굴은 꽤 오랜만에 보는 얼굴이었다. 순간 사고가 잠깐 정지했지만 이번엔 절대 창피해하지 않을 거라고! 나는 글 다짐하며 입꼬리를 어색하게 올리며 최대한 자연스럽게 말을 꺼내었다.

"아, 하하하. 괜찮은 거지?"

최대한, 자연스럽게...

"그, 그 그러면 난 먼저 가, 볼게..?"

자연스럽게...

"진짜 미, 미안해!"

응. 그냥 망했다, 나는. 몸이 말처럼 잘 따라주지 않았다. 난 삐걱거리며 빠르게 그 자리를 도망쳐 연일이와 연이가 있는 곳으로 달려갔다. '차인남'. 내가 2학년이 끝나갈 때쯤 고백하였다 대차게 나를 찬 장본인. 사람들은 그 말을 듣고 고개를 갸웃거릴 것이었다. 고백했으면 차일 수도 있지 뭘 그렇게 싫어하냐고? 그래, 나도 그냥 정중하게 차였으면 뭐라고 말도 안 하지, 얼굴을 보지도 않고, 고백을 제대로 듣지도 않고, 고백하는 내내 핸드폰만 보다가 귀찮은 듯한 껄렁이는 자세로 있는 사람한테 너네가 차여봤냐? 진짜로 울고 싶다.

"오우.. 사랑아, 이건 내가 미안하다."

"몰라. 말도 꺼내지 마."

나는 원망스럽다는 듯 조연을 쳐다보았다.

딩동딩동-

수업을 끝내는 종소리가 울려 퍼졌다. 복도에서의 그 일 이후 그래도 어찌어찌 수업을 듣고 꽤 괜찮아졌다.

'그래, 잊자. 이미 지나간 일이잖아.'

한숨을 쉬고 나니 자연스럽게 성실한이 있는 곳으로 눈길이 갔다. 그는 애들에게 둘러싸여 어쩔 줄을 모르며 웃고 있었다. 아직 반장을 뽑기 전인 지금 우리 5반의 임시반장은 성실한. 역시나 그는 인기가 많았다.

나는 많은 반 친구들이 지나간 후 드디어 혼자 있는 그를 발견하곤 조심스럽게 성실한에게 다가갔다.

"저, 실한아. 안녕..?"

드디어 대화를 한다, 드디어! 그는 인기가 많아 항상 인파에 둘러싸여 있어 말을 꺼내기가 어려웠는데 이제야 말을 꺼낼 기회가 나에게도 오다니. 난 힘을 내어 그에게 인사하였다. 그러자 그는 그런 날 보더니 곧 눈이 커지었다.

"어? 넌 등굣길에 그?"

"아아, 응! 기억하는구나!"

날 기억해 준다니 너무 기뻤다. 물론 그렇게 좋은 기억은 아니겠지만.. 난 그에게 이것저것 물어보며 그와 친해지려 애를 썼다. 그도 조잘조잘 떠드는 내가 싫지는 않은 건지, 아니면 귀찮은 건지는 모르겠지만 상냥하게 나와 대화를 해주었다. 짝사랑하는 상대와 이렇게 둘이서 대화를 하게 되어 너무 기뻤다. 그와 대화하는 내내 내 심장은 콩닥콩닥 멈출 기미를 안보였다.

4장. 애매한 관계

 중학교 3학년이 시작된 지 벌써 일주일이 지났다. 나는 그동안 성실한에게 말을 많이 걸려 노력하였고, 그 또한 웃으며 다정하게 나와 대화를 해주었다. 그는 만인에게 모두 착하게 대해주며 성실한이라는 이름에 걸맞게 자신이 도맡은 모든 일을 성실하게 하여 선생님들 사이에서도 인기가 많았다. 그는 언제나 멋있었고, 반짝반짝 빛났고, 언제나 웃었다. 정말로, 매일. 나는 그런 그가 멋있었다. 항상 빛나는 그가. 아무리 짙은 어둠 속에 있어도 찾을 수 있을 것 같은 그런 그가 너무 좋았다. 그래서 난 오늘도 그를 좋아하는 마음을 품고 조심스럽게 그에게 다가갔다.
"안녕, 실한아! 거기서 뭐 하고 있어?"
 그는 고개를 돌려 나를 빤히 쳐다보았다. 난 당황하며 실없는 소리를 내었는데, 나와 눈이 마주친 그의 짙은 검은 눈동자를 보았다. 이렇게 가까이서 눈이 마주친 적은 없는데, 한동안을 계속해서 눈을 마주치니 진심으로 빨려 들어갈 것만 같았다. 그만큼 그의 눈동자는 무척 매력적이었고, 끝이 보이지 않는 어둠 같았다. 그는 이윽고 입을 열었다.
"아. 아무것도 아니야. 그냥 잠깐 좀 바깥 좀 쳐다보고 있었어."
"아하.. 그렇구나!"
 나는 그를 보았다. 분명 실한이는 인기가 많고 모두에게 사랑

받을 터인데 왜 이렇게 외로워 보이는 건지. 그는 종종 창문 밖을 멍하니 쳐다보고 하던데 그럴 때마다 그런 그의 뒷모습이 너무나도 작아 보였다.

'난 왜 이런 생각을 하는 걸까?'

친구들에게 감이 좋다는 말을 많이 듣기는 하지만 이 생각은 나 자신도 왜 이런 생각을 하는지 이해할 수 없었다. 나는 애써 말을 걸어 화제를 바꾸었다.

"그보다 너 반장선거에 나갈 거야? 너라면 완전 잘할 거 같은데!"

"응, 그러게. 아마 나갈 거 같은데 아직 정확하게는 안 정해졌어."

....

또 이렇게 이야기가 멈추고 우리 둘 사이에는 정적이 찾아왔다. 실한이와 얘기할 때면은 종종 이렇게 정적이 찾아오곤 하는데, 나는 이런 정적이 너무나도 싫었다.

어떻게든 악착같이 이야기를 이어가려 노력하지만 솔직히 이런 상황에서 무슨 말을 해야 될지 모르겠단 말이다. 난 그냥 아무 말이나 내뱉으며 바보같이 혼자 하하 웃었는데, 그는 그런 나를 보더니 살짝 웃었다.

".. 사랑아. 난 네가 참 웃겨"

 나는 한순간 멈칫하며 놀랐다. 실한이가 나에게 먼저 말을 건 경우는 없었다. 매번 내가 먼저 입을 열면 그는 항상 나의 말에 대답해주기만 할 뿐이었다. 처음에는 내가 싫은가, 하는 마음에 불편했는데 그냥 그를 보고 있으니 실한이는 모든 친구들에게 대답만 해주는 그런 아이인 것을 깨달았다. 그런데 이렇게 갑작스럽게 나에게 먼저 물어본다고? 그것도 그런데 첫 말이 내가 웃긴다니. 도대체 나는 실한이가 무엇을 말하려는지 알 수 없어 가만히 듣기만을 반복하였다.

 실한이는 그런 날 보다가 아무것도 아니라 말하면서 자리를 떴다. 나는 그가 뭘 생각하였는지 알 수가 없었다. 그는 무엇을 말하려 했었던 걸까? 난 고개를 돌려 떠나가는 그의 뒷모습을 보았다. 분명히 지금 이 시간은 낮이었고, 햇빛이 쨍쨍 떠 있었는데도 그는 무척이나 어둡고 외로워 보이기만 하였다. 원래 이렇게 혼자서 그의 사정이나 마음을 판단해선 안 되는 것을 알지만, 계속해서 눈에 밟히니 조금 신경 쓰였다.

'요즘 안 좋은 일이 있나, 저번에 밖에서 만났을 때도 그렇고 왜 이렇게 그가 외로워 보이는 걸까?,

 난 실한이를 만났던 그때를 떠올렸다.

 어느 날이었다. 밖에서 길을 지나가다 실한이를 만난 날. 그는 부모님으로 보이는 분들과 함께 이야기를 하며 길을 걷고 있었다. 난 그를 만났다는 기쁨에 손을 흔들며 그를 불렀다.

"실한아! 여기서 다 보네!"

"아.. 사랑아."

 그는 부모님 눈치를 보다 살짝 손을 흔들더니 나에게 인사를 해주었다. 나는 멋쩍게 웃으며 인사하는 그에게 다가갔다. 그에게 옆에 분들은 누구시냐 물으니 그는 웃으며 부모님이라 대답해 주었다. 역시나! 그 말을 들은 나는 곧바로 그의 부모님을 향해 폴더폰을 접듯이 허리를 구부려 길가에 울려 퍼질 만큼 커다란 목소리로 인사하였다. 안녕하세요-! 목소리가 얼마나 컸던지 옆에 있었던 비둘기들이 날개를 푸드덕 거리며 저만치에 날아갔다. 그러자 그의 부모님은 곧바로 나에게 관심을 가지더니 말씀하셨다.

"아, 실한이 학교 친구니? 만나서 반가워."

"아하하. 네! 안녕하세요!"

 실한이는 눈치를 보고는 불편하다는 듯 조심스럽게 한 발자국 물러났다. 나는 그런 그를 보며 당황하는 한편, 여전히 부모님분들을 쳐다보았다. 실한이의 어머니께서는 입을 여시 더니,

"어머, 귀여워라. 이름이 뭐니?"

"사랑이에요, 한사랑!"

"그래? 부모님은 무슨 일 하셔?"

 처음 만난 사이인데 이런 질문을 왜 하시는 거지. 조금 의아하였지만 여쭤보신 것을 어쩌랴. 분명 그냥 궁금하셔서 물어보셨던 것이겠지. 그래, 궁금하실 수도 있지다고 혼자 생각하며 실한이 어머니의 말에 대답했다.

"아, 어머니는 안계시고 아버지는 회사원이세요!"

나는 최대한 활짝 웃으면서 말을 하였다. 그러고 보니 곧 있으면 어머니의 기일이네. 챙겨드려야 하는데. 말을 한 후 고개를 올리니 성실한 어머니의 얼굴이 보였다. 그녀의 표정은 오묘하였다. 뭐지, 마음에 안 드시는게 있으신건가 싶었다. 이런 말을 해도 될지 모르겠는데 뭔가가 눈빛이 이상해졌다. 왜 주변 분위기가 싸해진 것 같을까. 이때의 실한이는 점점 표정이 어두워지더니 끝내 아무런 말도 하지 않았다. 오늘따라 그는 정말로, 진심으로 이상해 보였다.

"하하.. 알겠어. 이만 가볼게. 실한이랑 친하게 지내줘."

"아, 네! 당연하죠!"

그 후 실한이는 그의 부모님과 함께 저 멀리 사라졌다. 오늘 이렇게 그의 부모님과 함께 밖에서 본 실한이와 학교에서 본 실한이의 차이는 너무나도 컸다. 뭔가 찜찜했지만 그냥 그러려니 넘겼다. 함부로 내가 판단해선 안 되는 것이니까. 그런데 정말 왜일까? 이런 느낌을 받는 것은. 그냥 기분 탓인가?

5장. 기다림

 이게 어찌 된 일일까. 왜 나는 차인남의 옆에서 책을 읽고 있으며 차인남은 왜 내 옆에 앉아서 자는 거지. 난 땀을 삐질삐질 흘리며 애써 차인남을 무시한 채 책에 집중하려 하였다. 내 옆에 차인남이.. 아니, 집중하라고. 한사랑! 도저히 책에 집중이 되지 않는다. 하필 이 시간 때는 애들이 하교를 하는 시간이었고, 이 자리는 도서관 중에서도 외각진 곳에 있는 자리라 주변에는 차인남의 숨소리와 내가 책 페이지를 넘기는 소리밖에 들리지 않았다. 역시 자리를 옮겨야겠어. 난 그리 결심하며 자리를 일어났을 때였다.

"으음.. 뭐야, 어디가?"

쿵-

 심장이 내려앉는 듯한 느낌이 들었다. 차인남은 내 옷소매 끝을 살포시 잡은 채 눈썹을 찌푸렸다. 나는 놀라 뒤를 돌아보았다. 하지만 뒤를 돌아보니 차인남의 눈을 여전히 감겨있었다. 뭐지.. 잠꼬댄가?

"아빠, 제발... 아빠.."

"..."

 뭐라 말할 수가 없었다. 나는 그에게 소매가 잡힌 채 가만히 서 있다가, 결국 체념을 하며 다시 자리에 앉았다. 따뜻한 햇빛이 창가 유리를 통과해 그와 나에게 쏟아졌다. 나는 결국 책 보는 것을 포기하고 책을 덮었다. 그는 여전히 눈썹을 찌푸린 채로 소매를 꼭 잡고 있었다. 최악의 방법으로 나를 차버린 남자애랑 이러고 있는 게 맞나 싶었지만 그렇다고 뭐 어떡하랴.

'손을 뿌리치고 가?'

나는 그를 쳐다보았다. 땀을 삘삘 흘리면서 인상을 찌푸리는 그가 보였다. 난 못한다. 뿌리 못 친다. 난 그를 빤히 쳐다보았다. 햇빛에 비친 탓인지 갈색 머리카락은 밝게 변하였고, 그의 곱슬머리카락은 바람에 따라 휘날렸다. ... 진짜 잘생기긴 잘생겼네. 이러니까 반해서 2년이나 짝사랑하지. 됐다. 이미 지나간 일을 뭐 하러 꺼내려고. 게다가 난 지금 짝사랑하는 다른 상대가 이미 있는 걸.

나는 그리 생각을 마치고 도서관에 흐르는 고요한 정적에 집중하였다. 그저 바람 소리와 숨소리만이 공존하며 소리를 내었다. 그는 그렇게 한참을 잡고 있다가 20분 뒤쯤에서야 소매를 놓아주었다.

덜컥-

"다녀왔습니다!"

결국 오늘 다 읽지 못한 책을 빌려 집으로 가져왔다. 문을 여니 역시나, 아빠가 환하게 웃으며 날 반겨주었다. 아빠는 앞치마를 두른 채 된장찌개를 끓이고 계셨는데 그 모습이 너무 귀여우셔서 웃음이 나왔다. 역시, 진짜로 집이 최고다.

"아빠, 나 뭐 할 거 있어서 아빠 먼저 밥 드세요!"

"그래, 하고 빨리 와서 밥 먹어라. 따뜻할 때 먹어야 맛있어."

난 곧바로 잽싸게 방문을 닫고 책을 꺼내 앉았다. 오늘은 이거 정독하는 거야! 난 열정적으로 책을 읽겠다는 다짐을 하였다. 책의 제목은 [짝사랑 성공 비법 100가지!]였다. 왜 도서관에 이런 책이 있는지는 모르겠지만 나에게 정말로 필요한 책! 난 책을 펴 내용을 하나하나 꼼꼼히 살펴보았다. 솔직히 말해서 모두 진부한 내용이고 뻔한 말이긴 하였다. '이성에게 선물 주기'나 '먼저 다가가 인사하기' 이런 내용들이었으니까. 하지만 만약 이것 하나라도 보면 짝사랑의 결과가 달라질까 하는 바람이었다. 그저 작은 바람. 난 4시간 동안 그 책을 보고, 또 보았다. 혹시라도 이걸 본 후에는 무언가라도 달라지길 원하면서 말이다.

6장. 변화-1

"연, 잠만 기다려봐. 나 화장실 좀."

주말에 연이, 연일이와 오랜만에 노는 겸 카페에 간 나는 순간 카페에서 소리를 지를 뻔했다. 아침부터 속이 부글부글거리더니 진짜냐. 급똥이다. 연이는 큰 거냐며 날 마구 놀려대었는데 진짜 큰 거였기에 뭐 할 수 있는 말이 없었다. 연이는 그런 날 보더니 점점 놀리는 게 사그라들고는 진짜냐며 빨리 갔다 오라 날 밀었다. 이 카페와 가장 가까운 화장실은 저쪽 모퉁이 끝에 있는 리올병원의 건물 안, 엘리베이터 옆에 있는 화장실이었다. 분명 전에 이 화장실에 갔었을 때에는 길어도 5분 정도밖에 안 걸렸었는데 지금 체감상 한 7분은 뛴 것 같다. 급해서 그런가. 병원이 있는 건물을 발견한 나는 화색 하며 빨리 화장실로 들어섰다.

쏴아아-

아, 시원하다. 쾌변을 마친 난 정말 행복한 채로 손을 씻었다. 이게 바로 극락이지. 나는 손을 털며 빨리 애들한테나 가야겠다, 라는 생각 끝에 화장실을 벗어나 병원 건물을 나가려고 하였다.

근데...

너무나도 익숙한 뒤태가 보였다.

'에이, 설마. 그 녀석일 리가.'

난 천천히 그를 지나갔다. 설령 걔라도 그냥 무시하면 된다는 생각을 하였다. 그래, 분명히.

'너 진짜 오지랖 넓은 거 알지? 남 함부로 도와주고 그러지 마라.'

 왜 과거에 연일이가 했던 말이 지금 떠오르는 걸까. 그냥 무시하고 가면 돼. 지나치고 가면 그만이야. 난 그리 생각하며 눈을 꼭 감고 그를 지나려고 했을 때였다.

흑- 하고 눈물을 머금은 목소리가 뒤에서 들려왔다. 구슬프고, 힘든 그런 목소리가. 그냥 지나치면 되는 건데, 이건 진짜 오지랖인데. 함부로 동정해서 도와주면 기분 나빠할 수도 있는 거 아는데... 발이 쉽사리 때지지가 않았다. 분명히 걔다. 뒤에 있는 애는 그가 확실하다. 안 좋은 감정이 남은 채 그 이후로부터 관계를 쭉 끊기로 다짐했는데, 왜 이러는 걸까. 이런 내가 너무 한심하다.

 그렇지만, 그렇지만. 저렇게 도와달라고 말하는데 나보고 어떡하라고. 난 진짜로 이런 것에 무책임한 사람이구나.

 나는 발을 돌려 그에게 다가갔다.

"너, 왜 그러고 있어?"

 그는 고개를 번뜩 들며 날 보고는 눈동자가 흔들렸다.

".. 넌 누구?"

"한사랑. 그보다 너, 왜 이런 곳에 혼자 쭈그리고 앉아있어?"

 실수로 '네가 찬 사람'이라고 말할 뻔했다. 난 속으로 한숨을 쉬며 건물 계단에 쭈그려 앉아 울던 그와 눈이 마주쳤다. 내가 알던 그는 이런 사람이 아니었다. 쾌활하고 장난기 많으며 어떨 때는 조금 진지하고 사람을 짜증 나게 하는 당당한 애였다.

'차인남, 도대체 뭐가 널 그렇게 만든 거야? 왜 이리 사람을 신경 쓰이게 만들어..!'

난 그의 대답을 듣기 위해 조용히 있었지만 곧이어 들려오는 답은 내가 생각했던 것과는 전혀 다른 말이었다.

"흐읍- 알아서 뭐, 하게? 그냥 가."

빠직, 순간 내가 할 수 있든 최대의 상냥함에 금이 가는 것을 느꼈다. 그래, 내가 너무 오지랖을 부렸지. 당사자가 도움이 필요 없다고 하는데 내가 왜 도와줘야겠어! 먼저 다가간 내 잘못이지.. 그래도 서운한 마음은 어쩔 수 없나 보다. 내가 모르는, 그의 진짜 면모를, 그때와는 다른 그의 모습을 기대한 내가 잘못한 거겠지.

그리 생각하며 자리를 뜨려고 했을 때였다.

"너는..! 넌 내가 잘못한 거 같아?"

".. 뭐?"

뒤에서 들려오는 목소리에 발걸음을 멈추었다. 저게 무슨 소리지? 생각하던 중 그는 멈춘 나를 보고 더 흥분한 듯 큰 목소리로 말하였다.

"지금 이 모든 게! 아빠가 위중하시고 엄마가..! 흐읍.. 그런 게... 다 내 탓 같냐고...!"

이게 무슨 소리일까. 얘한테는 도대체 무슨 사정이 있었던 걸까. 그는 감정을 주체하지 못하며 소리쳤다. 지금 자신이 무슨 말을 하고 있는 지도 잘 모를 것이다. 아무런 사정을 모르는 나에게 저런 말을 하다니. 난 주먹을 꽉 쥐었다. 하지만 이런 건 상관없다. 그저, 그저 내가 지금 해줄 수 있는 거라곤,

"..!"

그를 따뜻하게 안아주는 것뿐이었다.

"그냥 울어! 차라리 울어.."

안다. 저런 느낌. 쟤가 말하고 싶은 것, 지금 그의 감정. 내가 뭔데 그런 걸 아냐고? 알 수밖에.

나는 이미 경험을 해본 경험자니까.

난 눈을 감으며 그의 등을 토닥였다.

"네가 잘못한 거 없어. 그냥, 넌 아무런 죄가 없는 거야. 사람들이 뭐라 하던, 누가 너를 구박하던. 넌 아무런 잘못이 없으니 그런 말에 상처받고 자학할 필요 없어."

"흐읍... 흑.."

"넌 아무런 잘못이 없으니까. 네가 그렇게 생각하면 돼."

오늘따라 그가 한없이 작게만 보였다. 예전에는 마냥 커 보였던 등도, 항상 쾌활하게 웃던 얼굴도, 장난기 넘치던 그런 성격도. 그에게는 그저 자신의 이런 모습을 가릴 가면이었던 것이었을까. 아니면 진짜 모습이었을까. 물론 난 그런 그를 한때는 좋아했었지만, 그게 막상 그의 거짓된 모습이라 생각하니 이제는 마냥 그렇게 좋지 않았다. 그는 말없이 내 품에 안겨 울기만을 반복하였다. 옷 위로 눈물자국이 하나, 둘 떨어지는 게 느껴졌다. 만약에, 나도 그때 이렇게 위로라도 받을 수 있었더라면 지

금보다 훨씬 더 빠르게 우울을 이겨낼 수 있었을까. 하는 실없
는 생각을 하게 만들었다.

.

.

"야, 한사랑! 어디 갔었어! 똥을 뭐 만들었냐?"

"아하하, 미안."

 우린 그때, 처음으로 서로에게 마음을 털어놓는 계기가 되었
다.

7장. 변화-2

 하.. 나는 현재 깊은 고뇌에 빠져있다. 하루도 빠짐없이 쉬는 시간마다 들리는 저 목소리, 저 모습. 나는 정말 이러려고 위로를 한 것이 아닌데 말이다.

"사랑아, 쟤 또 왔다."

"알아.."

 난 지친 목소리로 말하였다. 얼마나 자주 들르면 이런 것에 무관심인 연일이도 이런 반응이겠냐. 난 질린 듯 우리반 문 앞에 떡 하고 서 있는 범인을 째려봤다.

그러나 그는 그런 눈빛에도 꿈쩍도 하지 않은 채 활짝 웃으며 손을 흔들었다. 진짜.. 대단하네. 난 한숨을 푹 쉬고는 그쪽으로 걸어갔다.

"아니, 차인남! 너 왜 계속 여기 와?"

"왜? 안돼?"

"아니.."

 말문이 턱 막혔다. 차인남이 이렇게 된 것은 다 그때 차인남을 위로해 주고 그와 새로운 관계가 형성되었을 때부터였다. 차인남은 나에게 자신의 거침없이 사정을 털어놓았다. 정말 이 정도로 알려줘도 괜찮냐고 물어볼 정도로. 아버지가 자신을 구하시려다 교통사고로 병원에 오랫동안 입원 중이시고, 어머니는 돈이 빠듯하여 주름 한번 지지 않았던 고운 손이 까져라 일하시고 계신다고. 물론 나도 진심으로 털어놓는 그의 모습에 나의 사정 또한 알려주었다. 그렇게, 그냥 그렇게 그나마 사이가 괜찮아진 채로 이 인연이 끝날 줄 알았는데.. 벌써 5일 째다. 쉬는 시간마다, 점심시간마다 날 찾아와서 말을 거는 게. 친구도 많으면서 나한테 왜 그러는 거지, 진짜?

"너무... 너무 자주 오잖아.. 너 그거 알아? 내가 너한테 고백했다가 차인 여자라는 거? 나 안 껄끄러워?"

그는 나의 말을 듣고는 침울한 얼굴로 중얼거렸다.

"내가 그때 왜.."

"방금 뭐라고 했어?"

"아, 아니야!"

어쨌든 정말 이 말만은 하지 않으려고 하였는데, 찾아와도 너무 찾아오지 않냐! 이 정도면 우리 반 애들에게도 민폐다, 민폐.

"너 원래 안 이랬으면서 갑자기 왜 이래?"

그는 나의 말을 들음과 즉시 당황하며 말을 얼버무렸다.

"아, 아니. 그냥. 서로 많이 알게 되었으니까. 그냥 좀 친해지려고 그런 거지. 그, 그럼 난 먼저 간다!"

그는 땀을 삐질삐질 흘리더니 인사만 남긴 채 혼자 홀연히 사라졌다. 갑자기 쟤가 왜 저런다냐. 그의 귓가가 빨개진 것 같은 건 그냥 기분 탓인가?

그리 생각하며 자리로 돌아가려고 했을 때였다.

"음, 사랑아? 쟤 누구야?"

난 깜짝 놀라 뒤를 돌아보았다. 아, 실한이구나! 새 학기가 좀 지날 동안, 난 실한이와 많은 대화를 하였다고 자부할 수 있었다. 정말로 많이 노력하였으니까. 덕분에 조금 친해진 실한이와의 관계 덕분인지 실한이는 이제 나에게도 먼저 말을 많이 걸어주었다.

"쟤? 차인남이라고. 그냥 1반 애야."

맞긴 하지. 그냥 1반 애.

그는 내 말을 듣더니 뭐라도 골똘히 생각하는 듯 아무 말도 하지 않더니 알겠다고 하며 웃어넘겼다. 뭔 일인지는 잘 모르겠지만, 저런 그의 모습도 정말 멋있다는 생각을 하였다, 이 사랑은 정말 식지를 않는 것 같다는 생각에 나 자기 자신에게 감탄하게 되었다.

8장. 자각 (성실한)

 난 평범한 집안에서 자라났다. 사랑을 주시는 어머니와 아버지, 화목한 가족의 모습. 정말로, 행복하고 평범한 나날들이었다. 만약, 내가 그때 부모님의 앞에서 그냥 말 잘 듣는 아이로, 별 것 없는 아이처럼 보였더라면 지금쯤도 그냥 평범하게 살았을까.

 모든 것의 시작은 부모님께서 재미로 보여주신 책을 암기하여 입으로 술술 말했을 때부터였다. 난 한순간에 동네 남자아이에서 동네 천재라 소문이 나게 되었고, 그 소문을 증명하듯 유명 TV 프로그램에도 영재로도 나가게 되었다. 처음에는 나도 기뻤다. 내가 무언가 특출 나다는 것에, 남들과는 다른 특별한 재능이 있다는 것에 감사하고 이런 특출함 덕분에 행복하신 듯 활짝 웃으시는 부모님의 모습도 정말로 좋았기 때문이었다. 그래 딱 그때까지만.

 유명해진 나는 나의 사소한 행동 하나하나가 누군가에게 알려져 책임을 져야 한다는 사실에 부담스러워 나 자신을 감추며 살게 되었고, 부모님은 점점 나를 사랑하시는 것이 아닌 나로 인해 딸려오는 돈과 명예, 명성을 사랑하시는 것만 같았다. 그 사실을 알았을 때는 정말 모두가 원망스러웠고 이 특출함이 증오스러웠다. 날 향해 웃는 미소는 모두 가짜처럼 보였다.

 그렇게 한평생을 그저 웃으며, 남들에게 친절하며 남에게 양보

하고 도와주는 삶을 살았다. 부모님은 그런 나에게 수고했다는 말 한마디를 안해주시고는 친구관계까지 간섭을 하여 조금이나마 버팀목이 되어주던 나의 쉼터또한 무참히 부숴버리셨다.

근데 아무리 사라진다 하더라도, 가족인데. 어렸을 때는 나를 진심으로 아끼고 사랑해 주신 분들인데. 내가 부모님을 어떻게 싫어할 수 있을까. 부모님의 말씀에 어떻게 반항할 수 있을까. 내가 할 수 있는 것이라곤 알겠다며 끄덕이는 것뿐이었다. 평생을 양보하며 친절하게 군 탓이었을까, 점점 진짜의 나 자신도 꾸며낸 모습과 동기화가 되는 것 같았다.

그렇게 10년을 넘게 그런 삶을 살아가고 있었던 그때,

난 한사랑을 만났다.

분명 처음에는 그저 등교 때 부딪친 여학생 정도였다. 그냥 밴드를 주면서 말 한 번 나눴을 뿐이었다.

그런데, 그런 한사랑이 같은 반인 것이었다. 그때부터 난 차차 달라지기 시작하였다.

한사랑이 반에서 먼저 말을 걸어주었을 때는 그저 그랬는데, 밖에서도 만나고 꽤나 오랫동안 한사랑과 대화한 끝에 난 깨달았다. 얘는, 진짜 순수한 애 라는 사실을.

매일 억지웃음이 아닌 진심으로 활짝 웃으며 반겨주고. 무시해도, 단답으로 대답하여도 어떻게든 말을 걸기 위해 순수하게 노력하고. 남에게 아무런 대가 없이 도와주는 모습에. 그걸 깨달았을 때, 한사랑이 눈에 계속 들어오고 점점 신경 쓰였다.

나와는 다른 저 순수한 미소를 지켜주고 싶었다. 그냥, 나와는

정반대인 모습에 끌리게 된 것이었다.

차인남과 그녀가 대화를 했었을 때에도, 솔직히 차인남이 눈에
거슬렸다. 저 애도 한사랑을 좋아하고 있는 것 같아서. 그저, 그
런 느낌이 들었다. 넌 이런 내 진짜 모습을 알고도 날 좋아해
줄까?

난 한사랑을 사랑한다.

아니, 짝사랑한다.

9장. 여름

"와, 진짜 완전 덥네."

"이게 사람 살 날씨냐?"

난 입이 삐쭉 나온 채 불평불만을 하며 중얼거렸다. 분명 반에어컨과 선풍기는 틀어져 있는데, 진짜 왜 아직도 더운 것 같지. 난 반팔티를 펄럭이며 책상에 축 늘어졌다. 하필이면 지금 시간은 딱 점심시간. 제일 해가 쨍쨍하게 뜰 시간 때였다. 이러니 죽을 만큼 덥지..

그때 터벅터벅 뛰어오는 발걸음 소리가 들려왔다.

"야, 한사랑! 아이스크림 먹을래?"

아이스크림?! 난 그 마성에 단어에 달려가며 그의 앞에 우뚝 섰다. 역시 그는 바로 차인남. 전처럼 엄청 심하지는 않은데 종종 놀러 오게 되어 나도 이제는 별 신경 쓰지 않았다. 그냥 이해해야지..

"당연하지. 빨리 줘.."

난 죽을 것 같은 목소리로 바들바들 떨며 차인남에게 부탁하였다. 진짜, 아이스크림이라도 안 먹으면 죽을 것 같다는 생각에 홀린 듯 그가 들고 있는 죠O바를 쳐다보았다.

그는 그런 날 보며 피식 웃더니 아이스크림을 주고는 말없이 돌아가버렸다.

'뭐야, 기분 이상하게..'

난 그가 준 아이스크림을 빠르게 뜯었다. 진짜, 진짜로 죽을 것 같아. 시원한 것이 필요해.. 귀신처럼 으어어 거리며 죠O바를 한 입 깨물었는데,

"으어어-!"

 진짜 갈 뻔했다. 천국으로. 오늘은 하필 매점도 닫혀있어서 아이스크림을 못 샀을 텐데. 어떻게 이렇게 시원하게 가져온 거람? 뭐, 얻어먹는 나야 좋긴 한데 말이다. 나는 행복하게 아이스크림을 다시 입에 넣었다.

물론 미친 듯이 먹는 과정에서 머리가 조금 띵해지긴 하였지만, 그것도 나름의 먹는 묘미였다.

 그렇게 아이스크림을 다 먹고 막대기를 버리려고 하였는데, 나의 눈에 무언가가 들어왔다.

"[오늘 학교 끝나고 같이 노래방 가자 · 3 ·]..?"

 막대기에는 펜으로 쓴 글씨가 지워지지 않고 남아있었다, .. 설마 차인남 걔가 쓴 거야?

풋, 순간 웃음이 나왔다. 답지 않게 정자로 또박또박 쓰인 글씨가 보였다.

"하하!"

 이런 건 또 어떻게 한 거래. 귀엽네.

 그저 무더운 여름이었다.

10장. 한 사랑

"흐음.. 얘는 왜 이렇게 안 오는 거야.."

난 폰을 든 채로 시간을 확인했다. 시간은 벌써 15시 10분. 아무리 오랜만의 데이트라도 그렇지, 너무 늦는 거 아니냐고. 나는 불만을 품은 채 영화관 한복판에서 그를 기다렸다.

그리고 정확히 1분이 지나 15시 11분이 되던 그때, 저 멀리에서 한 남자가 엘리베이터를 내리며 급하게 뛰어오고 있는 것이 보였다. 난 잔뜩 눈썹을 찌푸리고 그를 맞이하였다.

"11분 지각이야!"

그는 웃으며 미안하다 말하곤 재빠르게 내가 들고 있던 콜라와 팝콘을 들어주었다. 정말, 이러니까 내가 화를 제대로 못 내지. 센스 하나는 정말 좋다니까. 매번 저렇게 웃는 저 얼굴도 반칙이라고.. 그래도 뭐, 오랜만에 데이트인데 봐줘야지. 난 그를 향해 활짝 웃으며 말했다.

"가자, 내 사랑!"

그는 갑자기 왜 안 하던 말을 해! 라고 하나 당황하더니 나도 사랑해, 사랑아라며 나의 말에 답하며 날 마주 보곤 웃어주었다.

과연 누가 짝사랑에 성공하였을까?

쾌활하고 장난기가 넘치는 그일까, 다정하지만 예민한 그일까?

사실 누가 짝사랑에 성공하였는지는 그렇게 중요하지 않다.

확실한 것은,
사랑이의 짝사랑은 분명히 성공했다는 것이다.

한 사랑 끝.

제7화 드라마 같은 나의 인생

1장 개학

눈을 떠보니, 학교 가는 등굣길이었다. 2학년 7반이었던 게 엊그제 같은데 벌써 새 학기라니 믿기지 않는다.. 떨리는 마음으로 3학년 2반인 나의 반을 들어갔다. 들어가자마자 익숙한 얼굴이 보였다.

"뭐야 윤지호 너도 여기 반이야?"

윤지호가 놀란 표정으로 말했다.

"어.. 응!"

나는 윤지호의 뒷자리에 앉으며 말했다.

"여기 앉아도 되지? 아는 얼굴이 그다지 없어서.."

윤지호는 괜찮다는 표정으로 끄덕였다.

 윤지호는 새 학기마다, 오른쪽에서 두 번째인 자리에만 앉는 것만 알고 있던 나는 더 쉽게 발견할 수 있었다. 그리고 나와 윤지호는 엄마들끼리 아는 사이여서 어렸을 때부터 친하게 지내는 소꿉친구이다. 나와 다르게 윤지호는 모범생이어서 엄마가 맨날 윤지호를 말하며 비교했었다. 그때를 생각만 해도 싫고 짜증 났지만, 윤지호를 탓하면 안 된다고 생각한다. 내가 공부를 그렇게 안 하는 건 맞지라는 생각을 하는 도중에 옆자리에 눈이 갔다.

 왜냐하면 내 옆자리는 착하기로 유명하고 모든 것을 잘하는 친구 김유나가 있었다. 작년에 옆 반이어서 복도에서 몇 번 봤던 걸로 기억한다. 같은 반인데, 말도 걸어보면서 친하게 지내야 한다고 생각하며 지내야 한다는 생각하며 나는 옆자리 친구인 김유나를 툭툭 치며 말했다.
"안녕? 우리 같은 반인데 친하게 지내자!"
유나가 놀라고 기쁜 목소리로 말했다.
"응 좋아!"
유나의 말을 들은 동시에 조회 시간 종이 울렸다.

 작년부터 착하시기로 유명하신 선생님께서 우리 반으로 들어오셨다. 담임선생님의 등장으로, 우리 반 친구들은 난리가 났다.
"뭐야 저분이 우리 담임선생님이셔?"
"마지막 중학교 생활 편하겠다."
"선생님이랑 친하게 지낼 수 있겠다!"

담임선생님께서 웃으며 우리 반 친구들을 보고, 말씀하셨다.

"얘들아 개학 첫날이네, 우리 다 같이 힘내고, 1년 동안 잘 지내보자!"

그러자 우리 반은 시끌벅적했다.

"네 좋아요. 선생님!"

나는 우리 반 친구들과 담임선생님을 번갈아 보며, 모두 착한 것 같다는 생각과 좋은 마음을 가진 친구들과 선생님이 우리 반이니 안심이 된 거 같다. 개학해서 안좋았던 기분이 조금 나아진 거 같다 기분이 좋다! 하지만 뭔가 쎄한걸..

2장 하준

1교시 시작종이 울렸다. 내가 제일 싫은 영어 시간이다. 영어 선생님은 너무 좋지만, 과목 자체가 싫다. 하지만 잠이 오는걸.. 개학 첫날 수업은 너무 하잖아요..! 앞자리에 있는 지호는 필기도 하고 수업을 잘 듣고 있다. 저게 바로 모범생인건가 생각하며, 꾸벅꾸벅 졸고 있는 나를 보며 영어 선생님께서 말씀하셨다.
"시아야 일어나야지?"
"네.. 죄송합니다"
대답하는 동시에 우리 반 친구들이 모두 나를 보기 시작했다. 부끄럽고, 수치스러웠다. 내가 잘못하긴했지만.. 너무 지루하다. 지루한 영어 수업을 듣다 쉬는 시간 종이 쳤다.
나는 종이 치자마자 기절하듯 책상에 누워서 잤다. 10분이 지났을땐가.. 유나가 책상을 툭툭 치며 나를 깨웠다. 내가 자다 깬 동시에 2교시 수업 시간 종이 울렸다. 나는 급한 목소리로 유나에게 말했다.
"뭐야.. 애들 다 어디갔어..?"
"응..? 우리 2교시 수학 시간이잖아! 이동수업!"
"헐.. 미안해 빨리 가자!"
유나는 평온한 목소리로 말했다.
"괜찮아! 얼른 가자~"

나는 빨리 교과서와 필통을 들고 유나의 손을 잡으며 반을 나섰다.

"유나야 미안해! 그래도 우리 늦었으니까 뛰자!"

유나는 무언가를 결심한 듯 말했다.

"응! 알았어"

 나와 유나는 같이 뛰기 시작했다. 우리 반에서 수학실까지 거리가 멀다. 나는 수학실에 가는 길에 생각하면서 뛰었다. 쾅! 하는 소리와 함께 나는 넘어졌다.

"...아야....!"

 나는 아픈 머리를 만지며 천천히 일어났다. 눈을 떠보니, 앞에 웬 남자애가 있었다. 나보다 키가 커서 명찰밖에 보이지 않았다.

"김..하...준..? 헉.. 으아악...!"

나는 다급한 목소리로 말했다.

"ㅁ..미안해..!"

미안하다고 할 동시에 하준은 옷을 탁탁 털면서 나를 내려서 쳐보다며 말했다.

"난 괜찮아, 넌?"

"어..응..! 난 괜찮아!"

"너 이름은 이...시..아? 잘 기억해 놓고 있을게"

"어..? 알았어..!"

 나는 두려운 것과 부끄러운 탓에 유나의 팔을 잡고 뛰며 수학실로 갔다.

나는 슬그머니 문을 열며 우리 반 출석 체크를 하시던 선생님께 말했다.

"선생님 늦어서 죄송합니다..!"

선생님은 알겠다는 표정으로 끄덕이며, 나와 옆에 있던 유나에게 꾸중을 내시며 말씀하셨다.

"다음부턴 늦지 마. 옆에 있는 유나도!"

나와 유나는 동시에 말했다.

"네 죄송합니다.."

우리는 그 말이 끝나자마자 얼른 자리에 가서 앉았다.

나는 수학 수업을 듣는 내내 끊임없이 걱정했다. '아 왠지 오늘 좀 쎄하다 했어! 어떡하지.. 걔가 나한테 해코지하면 어떡해! 잘못 엮인 거 같다. 헐 설마 옆 반은 아니겠지? 그러면 진짜 어떡해..'

나는 멍때리며 생각하는 도중 수학 선생님께서 나를 부르셨다.

"이시아"

나는 깊이 생각에 빠진 탓에 대답하지 못했다. 수학 선생님께서 다시 한번 나를 부르셨다.

"이시아!"

나는 당황한 목소리로 말했다.

"ㄴ..네..?"

"수업에 집중하자 시아야"

"네..! 죄송합니다."

'개학 첫날부터 지적을 두 번이나 당하다니.. 진짜 이시아 너 정신 안 차릴래?! 이제 정신을 똑바로 차리고 다녀야지.' 나도 모범생이 되는 거야! 마음을 다잡고, 수업을 열심히 듣기 시작했다. 마음을 다짐하고 수업을 열심히 듣기 시작한지 30분이 지났나.. 벌써 종이 울렸다.

 수학 시간이 끝나고 나는 지호와 유나랑 같이 교실로 향했다. 교실로 가는 중에 지호가 나에게 걱정이 되는 말투로 말했다.

"오늘 무슨 일 있었어? 괜찮아?"

나는 어색한 말투로 지호의 말에 대답했다.

"어..응. 괜찮아.,"

지호는 안심한 말투였지만 여전히 걱정하는 것 같았다.

"그래 알았어."

3장 관심-1

눈을 비비며, 내가 잘못 본게 아니겠지..? 우리반 문 앞에 걸터서 있는 하준이가 있었다. 설마.. 나를 찾는 건 아니겠지..? 주변을 두리번두리번 봤다. 여자애들의 시선이 김하준에게 향해있었다. 안절부절못하는 나를 보며 걱정한 유나가 나를 톡톡 치며 작은 목소리로 말했다.

"괜찮아..? 얼굴 가리고 들어갈까? 뒷문도 잠겨서 어떻게 할 수도 없고.."

맞다.. 뒷문도 잠겨있고, 어떡하지.. 그래도 옆에 친구들이 있어서 얼굴을 어찌어찌 가리고 반을 들어가려는 찰나 하준이가 나의 어깨를 탁 잡았다. 나는 너무 놀라 하준이를 쳐다봤다. 하준이가 나한테 말을 걸었다.

"뭐야 설마 지금 나 피하려는 거야?"

이 녀석이 어떻게 눈치를 챘지? 나는 당황했지만 그렇지 않은 말투로 말했다.

"ㅇ..아니.. 아니야!"

어떡하지 말을 더듬었다..

'눈치 못 챘겠지?'

그러자 하준은 나를 보며 말했다.

"흠, 알았어. 그럼, 나중에 보자"

놀란 나는 아무 생각 없이 얘기했다.

"어..응!"

나는 얼른 반에 들어가서 책상에 누웠다.

'곰곰이 생각해 봐도 나중에 보자, 한 거는 뭐지? 나를 보러 우리 반 앞까지 온거야..? 애들도 다 쳐다보고 있었고, 이게 무슨 망신이야.. 학교생활 힘들어지겠네..'

유나가 내 책상 옆에서 쭈그리고, 나를 톡톡 쳤다. 나는 너무 힘들었지만 일어나서 유나를 봤다. 유나가 나에게 충격적인 이야기를 해줬다.

"시아야 김하준.. 옆반 3반이야..! 나랑 지호가 걔 반으로 들어간 거 봤어."

시아의 말을 듣자마자 나의 심장은 철렁 내려앉았다. 나는 많이 당황한 표정으로 유나를 보며 말했다.

"헐 나 진짜 어떡하지? 쟤 무서운 애인가.."

유나는 미소가 있는 얼굴로 말했다

"아니! 괜찮아 널 괴롭히진 않을 거야!."

유나는 나를 안심하게 만들고 싶었던 것 같다.

"응.. 그렇게 하지 않게 빌어야지 뭐.. 알려줘서 고마워 당분간 숨어다녀야겠다."

다시 학교 가는 등굣길이었으면 좋겠다는 생각도 했다. 아니, 많이 했다. 옆에서 지호가 유나에게 물었다.

"시아한테 무슨 일 있어?"

유나는 나에게 말을 걸었다.

"시아야 알려줘도 괜찮아..?"

"응.."

유나는 지호에게 아까 있었던 일을 설명해주었다.

"뭐야 이시아 그래서 수업 시간에 늦게 온 거였어?"

나는 지호의 말에 천천히 고개를 끄덕였다. 지호는 나를 걱정하는 눈빛으로 쳐다봤다. 나는 지호에게 웃으며 말했다.

"괜찮아..! 괜찮을거야.."

수업 종이 울리고, 나는 좋은 마음가짐으로 남은 수업을 다 들었다. 종례 시간 종이 울렸다. 휴.. 드디어 집 간다! 담임선생님께서 우리 반 친구들에게 말씀하셨다.

"애들아 개학 첫날 괜찮았니? 앞으로 학교생활 잘 보내자. 다들 조심히 집 가"

"네! 안녕히 계세요."

라는 말을 남기며 우리 반 친구들은 하나 둘 씩 나가기 시작했다. 유나에게 핸드폰을 건네며 말했다.

"너 전화번호 좀 알려주라"

유나는 기쁜 표정으로 알겠다 하며 끄덕이고, 전화번호를 알려준 뒤, 핸드폰을 돌려받았다.

"고마워, 집에 가서 연락할게"

"응 시아 나 먼저 갈게. 조심해서 가"

"유나 너도 조심해서 가"

나는 집에 가려고 반을 나섰다. 우리 반 앞에 김하준이 있었다. '설마 또 나 기다린 거야? 무시하고 얼른 가야겠다.'

멀리서 김하준은 나를 보며 소리쳤다.

"야 이시아!"

설마 하는 마음에 김하준을 보았다. 내 앞으로 오는 김하준은 갑자기 자신의 핸드폰을 나에게 건넸다. 나는 당황한 말투로 말했다.

"응..? 왜?"

"너 전화번호 좀 알려줘!"

"알았어."

나는 어쩔 수 없이 김하준에게 전화번호를 알려주었다. 김하준은 나를 보며 말했다.

"고마워 이따 연락할게. 꼭 봐라!"신신당부 하던 김하준이 가고 나도 빨리 학교를 나섰다.

뭐지.. 데자뷔인가? 얼른 집에 가서 쉬어야겠다! 집과 학교의 거리는 단 5분 거리, 신호만 잘 건너면 3분 컷이다. 집에 가는 길에 갑자기 생각이 났다. 근데.. 설마 내 전화번호 알려고 앞에서 기다린 거야?! 어떡해 찍힌건가.. 생각하며 앞을 봤는데, 집에 도착해 있었다. 나는 얼른 집을 들어가 씻고 침대에 누워서 핸드폰을 켰다. 그 순간 '카톡!' 울리는 소리에 메시지를 열어보니 김하준이였다.

'야 뭐해?'

'그냥 누워있어'

'나는 뭐하냐고 안 물어봐?'

뭐지.. 얘는... 그래도 물어봐야되나..

'어 넌 뭐 하는데'

'나 너 생각'

'진짜 왜 연락했지.. 나도 모르고 읽고 답장하지 않았다. 답장을 안 해도 카톡이 오지 않으니 괜찮겠지? 이제 곧 밤이니까 자야겠다.'

'카톡!' 아.. 뭐야 자려 했는데 누구지 설마 또?

'잘자'

나는 김하준의 카톡을 무시한 채 잠이 들었다.

4장 관심-2

또 눈을 뜨니 학교 앞이다. 설마 나를 또 찾아오지 않겠지? 나는 떨리는 마음으로 반을 들어갔다. 지호와 유나가 나를 반겨주었다.

'역시 좋은 친구들 같다.'

쉬는 시간 종이 울려, 나는 수업 준비를 하러 사물함을 열려, 교실 밖을 나왔다. 저 멀리서 김하준이 나에게 왔다. 김하준은 웃는 얼굴로 나를 쳐다보기만 했다. 나는 왜 그러나 싶어서 물어봤다.

"왜? 나 뭐 묻었어?"

김하준은 웃는 얼굴로 말했다.

"아니? 이뻐서"

나는 얼굴이 빨개지며 얼른 교과서를 챙기고 반을 들어갔다.

'진짜 수업 집중 안 되게 자꾸 왜그러는거야..'

수업 종이 울리고, 수업을 열심히 듣고 있었다. 쉬는 시간 종이 울리고, 김하준은 맨날 우리 반 앞으로 와있었다. 김하준은 인기가 많아 여자애들이 쉬는시간만 되면 얼굴을 보러 찾아왔지만, 꿋꿋이 나를 보러 우리 반 앞에 있었다. 나는 관심 받기 싫어서 애써 김하준을 무시하며 그냥 교실에만 있었다. 그랬더니 김하준이 창문으로 나를 보며 말했다.

"야 이시아! 나 연필 좀 빌려줘."

'아니 그걸 왜 나한테 빌리려는 거지!'

그래도 나는 빌려주면 나한테서 떨어질 줄 알았다. 하지만, 그 다음 날, 그 다음 날도 김하준은 맨날 나한테 무언가를 빌리고, 맛있는 것도 주고 갔다. 맛있는 거 주는 건 좋지만.. 왜 이렇게 부담스럽게 나를 찾아오는건가 싶었다.

그런데 갑자기 옆에서 쳐다보던 윤지호는 김하준에게 말했다.

"야, 이시아한테 관심 있냐?"

김하준은 윤지호를 쳐다보며 말했다.

"있다면?"

나는 얼른 둘 사이를 띄워놓으려고 했다. 안 그러면 더 큰 싸움이 벌어질 거 같았다. 그러고선 나는 윤지호를 반으로 데려갔다. 큰소리로 윤지호에게 말했다.

"야! 거기서 그러면 어떡해!"

윤지호는 걱정하는 말투로

"아니 자꾸 너한테 달라붙잖아. 거기서 어떻게 가만히 있어?"

나는 윤지호의 말에 혹하고 마음에 걸렸다. 나는 멍을 때리며 생각했다.

'그러게, 나는 왜 가만히 있지.. 그래도 나쁘진 않으니까.. 더 자세히 보니까 김하준, 얘가 좀 착한 거 같기도? 아니, 나 지금 무슨 생각하는 거야. 지금 감싸주는 거야? 미쳤어 미쳤어, 근데 이런 생각만 해도 학교가 이렇게 빨리 끝나냐.. 얼른 집에 가서 씻고 유튜브 봐야지~'

5장 고백

 이렇게 지낸 지 몇 달이 지났다. 나는 하준이에게 관심이 생겼다. 나한테 잘해주고, 먹을 것도 주고, 심지어 담요까지 선물 했다. 연락도 예전보다 주고받는 일도 많이 있다. 그래서 나는 학교에 가는 것이 예전보다 좋았다. 나에게 잘해주는 사람이 있기 때문이니까, 그 사람에게 잘 보이고 싶고 맨날 쉬는 시간이 다가오는 게 기다려진다. 그런 생각을 가진 채로 나는 학교에 갔다.

 저기 멀리서 하준이가 보인다. 나는 활기찬 목소리로 하준을 본 상태로 손을 흔들며 말했다.

 "김하준! 안녕"

 하준이도 나를 보며 반가운 얼굴로 손을 흔들며 말했다,

 "응, 시아 안녕"

 계속 우리 반 앞에 하준이가 있는 것을 보고는 나는 얼른 교실로 들어가서 가방을 놓고 김하준을 보러 반을 나왔다. 김하준은 나를 보고 말했다.

 "오늘은 일찍 왔네?"

 나는 눈을 비비며 말했다.

 "응 눈이 빨리 떠져서 일찍 왔어."

 김하준은 나를 보고 웃으며 머리를 쓰다듬었다.

 "잘했어"

'헐 뭐야.. 지금 내 머리 쓰다듬은 거야? 심장이 너무 빨라'

그런데 갑자기 하준은 나를 보고 말했다.

"시아야 이번 주말에 시간 있어? 같이 놀래?"

"응 시간 있어 그럼 주말에 만날까?"

"응 알았어."

나는 얼른 반으로 들어가 책상에 앉은 뒤 발을 동동 굴렀다.

'어떡해 지금 나한테 주말에 보자한거야? 헐 나 너무 떨리는 데..'

이 모습을 본 지호와 유나는 나를 보고 신기한 표정으로 말했다.

"시아 무슨 일 있어?"

나는 놀랐지만, 좋은 마음에 실실 웃으며 말했다.

"응? 아니야 그냥 기분이 좋아서"

지호와 유나는 무슨 일이지 하는 표정으로 계속 쳐다봤다. 나는 설레는 마음으로 하교를 하며 생각했다.

'오늘 왜 이렇게 기분이 좋지? 김하준. 나쁜 아이인 줄 알았는데 그렇게 마냥 나쁘진 않네. 아 맞다 오늘 금요일이지? 내일 보는 날이구나! 하준이에게 카톡을 보내야겠다. 몇 시에 어디서 만나냐고 물어봐야지!'

나는 하준이에게 카톡을 보냈다.

'하준아 내일 몇 시에 만나?'

10분이 지나도 1이 안 사라진다. 하준이가 많이 바쁜가? 라는 생각에 하준이는 내 카톡을 보았고, 나의 카톡에 답장을 보내줬다.

'1시에 만날래?'

나는 떨리는 마음에 읽고 바로 답장을 보냈다.

'그래 좋아!'

나는 늦지 않기 위해서 11시에 일어나 준비했다. 여전히 하준이를 만나는 것은 너무 떨린다. 나는 빨리 머리와 옷을 꾸미고 1시에 나왔다. 저 멀리 보이는 하준은 나한테 손을 흔들며 웃고 있었다.

"우리 뭐 할래?"

하준이는 무언가 계획이 있다는 듯 나의 손을 잡고 어딘가로 데려갔다.

'뭐야 지금 내 손을 잡은거야..?'

나는 하준을 따라가면서 생각했다. 주말에 하준을 만나고 있는 게 너무 좋았고, 하준이가 만나자 했던 것도 너무 설렜다.

하준이가 데려간 곳은 다름 아닌 영화관이었다. 나는 별로 영화관에서 영화를 보는 것을 좋아하지 않지만, 하준이와 영화를 볼 생각에 너무 떨렸다. 우리는 팝콘과 콜라를 사고 상영관으로 들어갔다.

핸드폰을 무음 상태로 해놓으려는 찰나 윤지호에게 카톡이 와 있었다.

'뭐해?'

'나 영화 보러 왔어.'

'너 영화관 가는 거 싫어하잖아. 갑자기 왜?'

'하준이가 보자해서'

'응? 걔랑 왜?'

 마침 시작하는 때라 나는 핸드폰을 무음 상태로 해놓고, 핸드폰을 껐다.

 우리가 보는 영화는 공포영화다.

'무서워서 못 볼 거 같은데 괜찮겠지..?' 라고 생각하던 중에 무서운 장면이 나왔고, 나는 눈을 질끈 감았다. 그러더니 옆에서 하준이가 자기 손으로 내 눈을 안 보이게 막아주었다. 나는 천천히 눈을 떴는데 눈앞에 하준의 손이 있어서 놀랐다. 나는 하준을 쳐다봤다.

 하준이는 조용한 목소리로 말했다.

"괜찮아?"

 나는 당황한 목소리로 말했다.

"응..!"

 영화가 끝나고, 밥을 먹으러 식당으로 가던 중에 윤지호의 카톡이 기억났다.

'지금이라도 답장해야지..'

나는 카톡을 켜고 지호의 채팅방에 들어갔다. 나는 생각했다.

'윤지호가 걱정하는 건가.. 아니면 뭐지?'

 나와 하준은 밥을 다 먹고 집에 가는 길이었다. 하준이가 나에게 물었다.

"시아야 내가 집 데려다줄까?"

 나는 좋은 기분을 애써 숨기면서 말했다.

"응 난 괜찮아."

 어두운 밤 가로등 여러개에 켜있는 길을 걸으며 대화도 하고, 내일 뭐 할지도 물어보고 그랬다. 우리의 분위기는 드라마 장면 중에 한 장면과 같았다. 나와 하준은 우리 집 앞에 다 왔다. 우리집 앞 가로등 아래에서 하준은 나의 두 손을 잡고, 나에게 말했다.

"시아야 나랑 사귀자"

 나의 심장은 두근두근 엄청나게 떨리고, 마냥 기분은 좋았다. 나는 하준이의 말에 대답했다.

"응 좋아"

 하준은 나에게 고맙다고 안아주었다. 나는 너무 놀랐지만 나도 하준을 안아주었다. 우리 둘은 그렇게 사귀게 되었다.

6장 로맨티스트-1

 우리는 다음 주 월요일 등교를 같이했다. 그런데 학교에 가니 소문이 다 퍼져있어서 보이는 애들 마다 종종 나에게 물었다.
"너 하준이랑 사귀어?"
"어떻게 사귀게 됐어?"
"뭐야 누가 먼저 고백했는데!"
 쏟아지는 반응에 어쩔 줄 몰라하는 나를 하준이가 데려가 반으로 데려다 주었다. 하준이가 나를 그냥 데려갔다. 내가 책상에 앉자마자 지호와 유나가 다가왔다. 지호는 나에게 퉁명스러운 말투로 물었다,
"뭐야 둘이 어떻게 사귀게 됐는데?"
 옆에 있던 유나도 나에게 말했다.
"헐 시야야 축하해!"
 이 둘의 반응 차이,
'지호에게 무슨 일이 있었나?'
나는 유나에게 말했다.
"고마워!"
 유나의 말을 듣던 지호는 갑자기 현실을 마주한 듯 나에게 말했다.
"아, 사귀게 된 거 축하해."
 나는 지호를 보며 말했다.

"응 고마워!"

유나가 나의 손을 덥석 잡더니, 여자 화장실로 향했다.

"아니 이시아 어떻게 만나게 된거야.."

"하하.. 나도 잘은 모르겠어.. 내가 하준이에게 관심이 있었나 봐"

"그렇구나. 꼭 이쁘게 만나."

"응 유나야 고마워!"

나는 유나와 이야기를 마치고, 팔짱을 끼며 반으로 들어갔다. 1교시 쉬는 시간에 나는 복도에서 유나와 이야기하고 있었다. 멀리서 나를 발견은 하준은 환한 미소를 띠며 나에게 왔다. 하준이는 나에게 젤리를 주며 말했다.

"맞다 시아야 이거 아까 주려 했는데 못 줬어."

"헐, 하준아 고마워!"

나는 웃는 얼굴로 말했다. 왜냐하면 내가 제일 좋아하는 초콜릿이기 때문이다.

'내가 좋아하는 초콜릿인데 어떻게 알았지.. 감동인 걸? 우연히 겹친 건가?'

많은 생각을 하던 도중 2교시 수업 시작 종이 울려서, 하준이에게 인사를 하고 나와 유나는 수업을 들으러 같이 반으로 들어가 자리에 앉았다. 자리에 앉고, 유나는 선생님이 오시기 전에 나를 보며 말했다.

"뭐야, 김하준 완전 로맨티스트 아니야? 이거 네가 좋아하는 초콜릿이잖아."

"에.. 넌 어떻게 알아? 내가 그 초콜릿을 좋아하는지"

"네가 맨날 쉬는 시간마다 먹잖아. 그래서 좋아하는 거 같았어."

나는 일반 초콜릿처럼 단것을 많이 먹지 못한다. 하지만 당이 떨어질 때마다 먹는다. 아니, 먹어야 한다. 그래야 기운이 나기 때문이다.

'그럼, 하준이가 나를 평소에도 보고 있었던 건 걸까?'

나는 순간 부끄러웠다. 그동안 나를 보고 있었다니, 이런저런 생각을 하는 도중 선생님이 들어오시고 나와 유나는 앞을 보며, 수업을 들었다.

그렇게 정신없이 수업을 들으며, 점심시간이 다가왔다. 드디어, 기다리고 기다리던 점심시간이었다. 나와 유나는 밥을 먹으러 줄을 기다리고 있었다. 급식을 받고, 자리에 앉아 밥을 먹고 있었다. 유나가 나의 어깨를 툭툭 치며 말했다.

"뒤에 3반 여자애들이 너 이야기 하는데..?"

나는 유나의 말을 듣고 뒤에 있는 3반 여자애들이 말하는 것을 조
용히 듣고 있었다.

"아니 이시아랑 하준이 왜 사귀는 거야"

"솔직히 우리 하준이가 불쌍하지 않냐?"

"인정 왜 사귀는지 이해가 안 되네. 진짜 어떻게 꼬신거야 이시아"

나는 화가 벅차올라서 얘들한테 뭐라 하려는 찰나, 그 여자애

들 앞에 김하준이 나타났다. 김하준은 화가 난 표정과 말투로 여자애들한테 말했다.

"야 방금 뭐라 했냐? 너희 우리 시아 이상하게 말하고 다니면 너희 진짜 가만 안 둔다. 명심해."

여자애들은 당황한 표정으로 김하준을 멍하니 쳐다봤다. 하준은 여자애들에게 한마디 하고 나에게 다가왔다. 하준은 걱정하는 말투로 내 머리를 쓰다듬어 주며 말했다.

"미안해 시아야 나 때문에 저런 말도 듣고.. 여자애들이 앞으로 저렇게 말하면 나한테 꼭 말해."

나는 웃는 얼굴로 하준을 쳐다보며 말했다.

"난 괜찮아! 하준아 고마워"

하준은 나에게 맛있게 밥을 먹으라는 말과 함께 자기 자리로 갔다. 유나가 나에게 걱정하는 말투로 말했다.

"너 진짜 괜찮아..?"

나는 유나에게 괜찮다는 말과 함께 끄덕이며 말했다.

"괜찮아 근데 하준이 진짜 멋있는 거 같아!"

유나는 나에게 부러운 말투로 말했다.

"그러니까, 부럽네. 이시아, 얼른 밥 먹고 올라가자."

"그래!"

나와 유나는 얼른 밥을 먹고 반으로 올라갔다. 나는 유나에게 말했다.

"나는 점심시간에 도서관에 가서 책을 자주 읽어서 오늘도 도서관에 가려고! 너도 같이 도서관 갈래?"

유나는 좋다는 듯이 끄덕이며 말했다.

"그래! 난 못했던 학원 숙제해야겠다!"

나는 책을 챙기고, 유나는 학원 숙제를 챙겨서 도서관에 가려는 중에..

7장 로맨티스트-2

지호가 나에게 말을 걸었다.

"나도 도서관 가려고 하는데, 같이 가도 돼?"

나와 유나는 알겠다는 듯이 끄덕였다. 그렇게 나와 유나, 지호는 도서관에 갔다. 나와 유나가 같이 앉고, 내 앞에 지호가 앉았다.

나는 책을 읽는 도중 책에서 그림자가 보였다. 나는 누군가 하고 위를 올려다보니, 하준이였다.

"찾고 있었는데 여기 있었네. 시아"

나는 어리둥절한 표정으로 하준을 보며 말했다.

"뭐야 나 찾고 있었어? 무슨 일 있어?"

하준은 미소를 짓고, 나를 보며 말했다.

"아니 그냥 너 보고 싶어서"

나는 웃음이 나왔지만 참았다. 생각해 보니 옆에 친구들이 있었다. 나는 수치스러운 마음에 얼른 하준이의 팔을 잡고 도서관을 나와, 구석진 곳에 데려가서 하준이에게 큰소리를 내며 말했다.

"아니 김하준! 친구들도 있는데 뭐 하자는 거야!"

하준은 내가 귀엽다는 듯이 나를 쳐다보고 머리를 쓰다듬어 주며 말했다.

"네가 보고 싶은 걸 어떡해!"

나는 머리를 붙잡으며 말했다.

"그래도 그렇지.."

 점심시간 끝나는 종이 울렸다. 하준은 나의 손을 잡으며 우리 반 앞까지 데려다주었다. 나는 하준이에게 고맙다는 말과 함께 반으로 돌려보냈다. 마침 반에 유나와 지호가 있었다. 유나와 지호가 서로 이야기하고 있길래 가서 말을 걸었다.

"유나야 지호야 먼저 가서 미안해.."

유나는 괜찮다는 표정과 함께 말했다.

"아니야 괜찮아! 우리 시아 이제 바빠지겠다, 남자친구도 생겨서"

옆에 있던 지호가 말했다.

"야 이시아, 남자친구 있다고 우리 버리는 거 아니지?"

나는 유나와 지호를 보고 놀란 표정으로 말했다.

"에이 그런 생각 하지 마!, 난 너네밖에 없다고! 너네랑 놀면서 남자친구 만날 거야!"

유나와 지호는 웃으며, 자리로 돌아갔다.

 그렇게 수업을 다 듣고, 우리는 이제 집에 갈 시간이 되었다. 종례를 마치고, 유나와 말하며 반을 나서자, 하준이가 나에게 달려오며 말했다.

"집 데려다주려고 기다렸어!"

유나는 옆에서 나를 보며 말했다.

"나 먼저 갈게 잘가!"

당황한 말투로 유나에게 말했다.

"어..? 어! 잘가 유나야"

나는 하준이와 같이 학교를 나왔다. 물론 학교에서 나오는 과정에서 여자애들이 나를 보고 수군거리긴 했지만, 딱히 신경은 안 쓰였다. 왜냐하면 나에겐 든든하고 멋있는 하준이가 있으니까! 하준은 자기 집과 멀리 있는 우리 집을 같이 가서 나를 데려다 주었다. 나는 하준이를 바라보며 말했다.

"하준아 집도 멀 텐데 데려다줘서 고마워."

하준은 웃는 얼굴로 나를 보며 말했다.

"아니야, 혼자 다니면 위험해. 앞으로 등하교는 나랑 하자. 알았지?"

나는 하준을 바라보곤 손을 흔들며 말했다.

"응! 고마워 집 조심히 가!"

"응 알았어. 내일 보자 시아야."

그렇게 우리는 사이좋게 지내며 피할 수 없는 현실을 마주하고 있었다.

8장 졸업

그렇게 몇 달이 지나고, 우리 사이가 더욱 돈독해질 때쯤, 중학교 3학년인 우리에게 점점 졸업이 다가오고 있었다. 나와 친구들 모두 설레는 마음으로 졸업을 향해 기다리고 있었다. 물론 기다리지 않은 친구들도 있었지만. 나는 여기 주변에 있는 고등학교가 아닌, 1시간 정도 걸리는 멀리 있는 고등학교에 간다. 나는 친구들과 헤어지기 싫었지만 그래도 어쩔 수 없었다. 나는 이 사실을 친구들에게 말을 안 했다. 왜냐하면 아직 친구들에게 말할 용기가 없었다.

그래도 내일이 졸업이니까, 말해야 할 거 같아서 하준이와 유나, 지호를 불러 진지하게 이야기했다.

"얘들아 나 사실 고등학교 멀리 갈 거 같아. 미리 말 못 해서 미안해.."

모두가 놀란 표정으로 나를 바라보고 말했다.

"괜찮아. 쉽게 말 못 할 수도 있지."

"진짜? 너 이사가? 어디로 가길래 멀리 가는거야.."

"고등학교 멀리 가도 나랑은 꼭 만나. 이시아."

반응이 다 달라서 기분이 묘하긴 했다. 그렇게 우리는 다음날이 왔다.

졸업식 당일, 우리 학교 친구들은 졸업식이라 신나는 애들도 있었고, 우는 애들도 있었다. 나는 거기서 우는 쪽에 속했다. 우리 반은 자리를 둥글게 만들어, 그 자리에서 우리 반 친구들에게 롤링 페이퍼를 썼다. 눈물이 나지만, 애써 안 나는 척 글썽글썽 거리며, 친구들의 롤링 페이퍼를 다 썼다. 나는 우리 반 친구들에게 말했다.

"너네 졸업해도 나 절대 잊지 마!!"

그러자 우리 반 친구들은 절대 안 잊는다는 듯이 말하고, 서로 고맙다고 말했다. 그렇게 우리 반 친구들과 담임선생님, 다 같이 사진을 찍고서 나는 하준을 보러 반에서 나갔다.

하준이도 나를 보러 나왔는지 복도에서 마주쳤다. 하준이는 글썽거리며, 나에게 왔다. 곰돌이같이 듬직했던 내 남자친구가 내 앞에서 눈물을 글썽거리는 모습을 보니 귀여웠다. 하준은 나에게 말했다.

"시아야 나랑 만나줘서 고맙고, 많이 사랑해. 고등학교 멀리 가도 우리 계속 쭉 만나자"

나는 너무 좋아서 끄덕이며 말했다.

"나도 정말 고마워 하준아, 나도 많이 사랑해."

하준이와 이야기를 나누고선 우린 단둘이 같이 사진을 찍었다. 그렇게 이 사진은 나의 핸드폰 배경 화면이 되었고, 우리의 추억은 조금씩 쌓아가고 있다. 나의 인생은 하준이를 만나 많이 달라졌다. 하준에게 정말로 고마웠다고 평생 말하고 싶다. 나의 인생은 마치 드라마 같다.

드라마 같은 나의 인생 끝.

제8화 사랑하고 싶었던 가족

제1장 "그냥"

 그때는 그저 그런 날이었다.

 뭘 해도 그저 그런. 행복한 일이 생기더라도 행복하지 않은, 슬픈 일이 생겨도 슬프지 않은 그런 날. 저녁 6시쯤 엄마가 퇴근 후에 고단한 몸으로 나와 동생이 좋아하는 카레를 해주셨다. 그 카레의 달달하고 살짝은 매콤한 냄새가 집안 가득 퍼졌다. 나, 엄마, 민준, 민주까지 앉아 서로를 바라보며 흐뭇한 표정으로 저녁을 먹었다.

 그날 밤, 갑자기 소나기가 다다닥거리면서 내 귀를 깨웠다. 그 소나기에 나는 잠에서 깼다.

 엄마는 뭘 하는지 급하게 무언가를 챙기고 있었다.

나는 엄마에게 말했다.

'엄마? 뭐해요?'

엄마는 죄지은 사람처럼 놀라며 멋쩍은 웃음을 지었다.

"왜……. 왜?? 우리 민준이 빗소리가 시끄러워서 깼구나. ㅎㅎ 그래도 내일 유치원 가려면 일찍 자야지 얼른 들어가서 자렴.

나는 엄마 말을 듣곤 방으로 가 다시 잠이 들었다. 해가 아침부터 유독 더 밝던 날, 밝은 햇빛에 일어나 주위를 둘러보니 새근새근 숨소리를 내며 자고 있는 동생들, 엄청나게 많이 만들어진 카레라이스, 그리고 어릴 때 가족과 함께 찍은 사진만 보였고 나의 눈엔 엄마도 보이지 않았다.

나는 "그냥" 엄마가 어딜 간 줄 알았다. 하지만 그 뒤로 엄마의 모습이 마지막이었다. 우리 엄마는 정말로 다정한 사람이었다.

내가 사고 싶은 것이 있으면 다 사 주고 모든 해달라고 하면 모든 해주는 그럼 엄마였다. 지금 생각해 보니까 엄마가 왜 해달라는 것은 다 해줬는지 알 것 같다. 우리를 버리고 도망치기 위해서였다.

엄마가 그렇게 집을 나갔을 때 고작 14살이었고, 민준이는 초6, 민주는 겨우 7살이었다. 그때의 상황은 그저 꺼져가는 불씨였다.

나에게 남은 건 어린 동생들 뿐이었다. 과연 꺼져가는 불씨를 되살릴 수 있을지 아님 그대로 힘없이 꺼질지 나에겐 불씨를 되살려줄 장작이 될 수 있는 사람이 필요했다.

엄마가 집을 나간 뒤 나와 동생들은 엄마의 유일한 가족 할머니를 찾아갔다. 할머니는 할아버지를 젊은 나이에 보내시고 엄마를 키우려고 모든 일을 했던 사람이었다.

 꽈배기 집, 트럭운전, 문구점까지 모든 일을 해보신 할머니셨다. 그러나 엄마와 아빠가 갑자기 결혼을 하겠다고 찾아왔고, 할머니는 결혼을 크게 반대하였고, 그 일로 엄마와 인연을 끊어버렸다.

 나는 5살쯤 할머니를 처음으로 봤고, 그 이후 나와 할머니는 몰래 서로 연락을 주고받았다. 할머니는 엄마와는 다르게 성격도 다르고, 심지어 얼굴도 그리 비슷하진 않았다. 나의 할머니는 겉은 차갑지만 속은 매우 따듯하셨다.

 우리가 할머니 집에 도착했을 땐 할머니는 당황한 듯 깜짝 놀라셨다. 나는 할머니에게 지금 상황을 말씀드렸고, 할머니는 우리를 받아주셨다. 할머니는 우리를 최선을 다해 키워주셨지만 고작 1년 만에 초기증상도 찾아보기 어렵고 늦게 발견한 즉시 거의 말기라는 췌장암으로 돌아가셨다. 결국 우리는 가족을 또다시 잃었다.

 할머니 집은 이제 우리에게는 겨우 텅 빈 차가운 집뿐이었다. 우리는 더 이상 갈 곳이 없어졌고, 우린 셋에게 의지했다. 그러다 집을 나와 동네 밖을 돌아다니며 갈 곳을 한참을 찾던 도중 청소년 센터장님의 눈에 띄어 우린 결국 동네에 있는 청소년 센터에 들어갔다.

 그 곳 센터장님은 우리에게 친절하고 잘 보살펴주시는 정말 좋은 분이셨다. 나는 이제 16살이 되었고, 민준이는 질풍노도의 시기인 중2에 들어섰고, 민주는 벌써 초등학교 2학년이 되었다. 센터장님은 우리가 학교에 다닐 수 있도록 많은 지원과 보호자 역할을 해주셨다. 하지만 나는 학교에 다닌 뒤로 나는 학교에서 아무와도 말도 하지 않고, 오직 선생님이나 웃어른에게만 대답만 했다.

내가 친구들과 단 한마디도 하지 않은 이유는 단지 엄마 때문이었다. 내가 친구들과 친해져서 엄마 얘기를 했다간 친구들 사이의 소문도 퍼지고, 동생들의 엄마 때문에 따돌림을 혹시라도 당할까 봐 걱정스러운 마음으로 친구를 사귀지 않았다.

솔직히 나도 친구 하나쯤은 만들고 싶었다.

의지할 수 있는 그런 친구.

요즘 애들을 보니 서로 비밀이야기를 털어놓으면 그 이야기를 소문내는 애들이 많아서 더 친구를 사귀는 것을 조심스럽고 불안했다. 그리고 요즘 민준이가 중2가 되고 나니 착했던 아이가 일진무리와 어울리는 것을 보았고, 저녁에 센터에서 나는 걱정이 되어 한소리 뭐라고 했더니 짜증을 내면서

"네가 뭔데 이래라저래라 해! 너나 잘해 '

라며 민준이는 나에게 되레 짜증을 냈고, 나는 그냥 받아줬다.

"곧 정신 차리겠지. 하휴.. "

"민준이가 그러는 게 부모님이 없어서 인걸까."

라고 솔직히 생각도 했고, 저번에 친구를 괴롭혔다고, 민준이 담임선생님께 연락이 온 적도 있었다.

"야, 김민준 너 친구 괴롭혔냐! 왜 그래! 진짜!"

민준이가 눈물이 떨어질 듯 말 듯 한 표정을 지으면서

"그 새끼가 엄마 없냐고 뭐라고 해서 내가 몇 번 쳤더니 질질 짜잖아!!"

나는 이 말을 듣고선 말을 할 수 없었다. 모든 게 내 잘못인 것 같았다. 엄마가 우릴 두고 도망간 거 우릴 버렸다는 것. 이 사실만은 부정할 수 없었다. 한참을 곰곰이 생각해 봐도 사실은 사실일 뿐이었다.

민준이와 싸우고 난 뒤 나와 민준이는 급속도로 사이가 나빠졌고, 학교에서는 나에게 아는 척도 형이라고 부르지도 않았다. 그래도 밝게 자란 민주는 나에게 애교도 부리고 나중에 의사가 된다면서 초2인데도 불구하고 스스로 공부하는 그런 성실하고 착한 아이이다.

그리고 청소년센터장님이 민주를 엄청나게 아끼고 좋아하셨다. 한번 센터장님에게 물어보았다.

"센터장님! 센터장님은 왜 그렇게 민주를 좋아하세요.?"

라고 하자 청소년센터장님이 머뭇거리시면서 이야기를 들려주셨다.

"사실 그게 나도 민주정도만 한 내 딸이 있었어. 그땐 아이의 엄마로서 내 딸을 많이 혼냈고, 내 일에만 오직 집중했어. 그러다가 내 딸이 화를 참지 못 참고 집을 나간 이후로 내 딸을 다신 볼 수 없었단다. 내 딸도 민주처럼 어리광도 부리고 애교도 부렸거든.. 그래서 나는 민주가 참 좋은 것 같아."

센터장님이 눈물이 고인 채로 말했다.

 "내가 이 청소년센터를 시작한 이유도 내 딸이 오길 기다려서 그런 거란다. 여기로 찾아오라고.."

 그날 밤 나는 잠을 이루지 못했다. 센터장님의 말이 머릿속에서 맴돌았다.

 "내 딸이 오길 기다려서 그런 거란다..ㅎㅎ"

 이렇게 자식을 그리워하는 엄마가 있는데 우리 엄마도 우리를 그리워할까,,? 엄마는 정말.. 잘 모르겠다. 하지만 내가 생각하는 엄마란 존재는 대단하다. 엄마가 되려면 많은 준비도 해야 하고, 직업이나 꿈도 포기해야 하는 경우가 많다. 엄마들은 원래 마시던 향기로운 커피대신 분유병을 들고 있어야 하고 원래는 푹 자던 시간에 자지도 못하고 하루 종일 일 때문에 바쁘던 엄마는 하루 종일 살림하고 삼시세끼 밥을 차려야 한다.

 이렇게만 보면 얻는 것보다 잃는 것이 더 많다고 생각할 수 있겠지만 하지만 잘 생각해 보면 얻는 것이 많다. 혼자 있는 쓸쓸함을 채워주는 아이들, 한 20프로 정도는 비어있는 사랑을 아이들이 채워준다. 이로서 나는 잃는 것보다는 얻는 것이 많다고 생각한다.

 그러나 모든 엄마들은 그러지는 않는다. 나는 처음에는 우리 셋을 버리고 간 엄마가 엄청나게 원망스러웠다. 하지만 얼마나 힘들었고 가장으로서의 책임이 얼마나 무거운지 아마 상상도 할 수 없이 무거웠을 것이다.

 하지만 엄마를 용서하는 이유는 그래도 우리 셋을 키우는 동안에는 다른 아이들을 부러워할 것 없이 사랑으로 가득 채워준 엄마였기 때문이다. 만약 엄마가 우리에게 사랑 같은 것도 주지 않았더라면 애초에 그냥 엄마라는 존재를 잊었을 것이다.

우리 집은 아빠라는 존재는 있었다. 하지만 그 사람은 아빠라고 취급할 수 없는 사람이었다. 내가 7살일 때, 민준이가 6살일 때, 민주가 1살일 때 엄마와 우리 셋은 아빠에게서 도망치듯 집을 나왔다. 왜냐하면 아빠가 우리를 때렸기 때문이다.

지금 생각해 보면 어처구니없는 이유이었다.

"티브이 안보이잖아!!"

"야! 가만히 좀 있어!"

"짜증 나니까 저리 가"

라며 이상한 이유를 대면서 때리기도 했고, 그래서 엄마와 우리는 집을 나갔고, 그 뒤에는 이사를 가서 아빠라는 사람을 만날 일이 없었다. 내가 할머니와 연락을 주고받을 때쯤 아빠라는 사람이 교도소에 들어갔다고만 듣곤 그 이후에 교도소에서 출소했는지 지금 어디 어떻게 사는지도 잘 모른다.

"아빠라는 사람이 돼서 말이야 가족을 때리고 맨날 술만 퍼마시기만 하고……."

난 엄마보단 아빠를 더 원망하는 것 같다.

한 가지 걱정거리가 요즘 또 생겼다. 혹시라도 아빠가 민주를 찾아갈까 봐 걱정된다. 그러다가 아빠가 어떤 사람인지 알게 되면 엄청나게 충격을 받을 것 같아 걱정이다. 오늘도 침대에서 많은 걱정만을 하다가 잠들었다.

"나도 언젠간 행복한 상상만 하며 살 수 있을까.?"

제2장 "따뜻함"

이른 아침 모든 소리가 들리지 않는 고요한 새벽에 몸을 일으켜 세웠다. 요즘 하여도 민주가 피아노가 배우고 싶다했다. 그래서 오늘 민주의 피아노 학원 비를 위해서 아침 일찍부터 일어나서 알바 면접을 보러 가기로 했다.

"안녕하세요, 저 알바 보러 왔는데요."

이렇게 총 7군데나 알바면접을 보았다. 대부분의 사장님들은 나를 보고 놀란 듯 보았고 다들 결국

"사정은 딱한 거 알겠는데 너무 어리다. 미안하다."

라고 하셨다. 그리고 결국 무거운 발걸음으로 센터로 돌아가던 길에 새로 생긴 피자집에서 알바를 뽑는다고 쓰여 있어 마지막 기회라고 하며 피자집에 들어갔다.

피자집에 들어가니 50대쯤 보이는 아저씨가 있었다. 얼굴은 굉장히 무서워 보였고, 표정은 뭔가 짜증 나 보이고 뭔가 불만 있어 보이는 아저씨셨다. 그러면서 나는

"저기. 알바 보러."

갑자기 아저씨가 "일단 앉아보게"라고 하며 주방으로 곧장 가시더니 피자를 만드셨다. 손으로 반죽한 도우를 잘 밀어서 둥근 원 모양으로 만들고 그 위에 토마토소스를 골고루 발라준 후 치즈를 듬뿍 얹어 햄, 피망, 양파, 올리브 많은 재료를 듬뿍 올려 엄청난 열기가 느껴지는 화덕에 넣고 기다려 꺼내셨다. 아저

씨가 피자를 가지고 오면서 치즈의 고소하고 뭔가 달달한 냄새가 코를 자극했다. 그러곤 갑자기 피자를 가지고 오시더니 "한번 먹어봐라"라며 피자를 건네주셨다.

"어, 왜 저한테 피자를 주세요..?"

나는 당황하여 아저씨한테 물어봤다. 그러자 아저씨가

"그렇게 말라서 일은 제대로 할 수 있겠어?!"

라고 하셨다. 처음에 어안이 벙벙했지만 피자를 먹으면서 눈물이 핑 돌았다. 나는 거기서 또 다른 따뜻함을 느꼈다. 겨울에 먹는 따뜻한 어묵국물보다도 겨울에 먹는 붕어빵보다도 겨울에 따뜻한 전기장판에 누워있는 그런 따뜻함이 아닌 마음이 따뜻해지는 것을 느꼈다.

피자를 다 먹고 나는 아저씨에게 감사하다고 했다.

"감사합니다.! 아저씨 정말 감사해요.! 앞으로 열심히 일할게요!"

그러자 아저씨가

"너는 이름이 뭐니?"

그리곤 나는

"김민규라고 합니다!"

라고 당차게 말했다. 그 이후 피자잡서 알바를 했고, 나는 매일 학교가 끝난 뒤 피자집으로 달려가서 피자 만드는 것을 도왔다. 그 돈으로 민주가 다니고 싶다던 피아노 학원도 보냈다.

8월에 선선한 바람이 부는 어느 날 한 9시쯤 사장님께서

"내가 오늘 중요한 약속이 있어 그래서 민규가 마감 좀 해줘

라"

라며 나에게 가게 마감을 부탁하셨다.

"넵 사장님 마감하고 들어가겠습니다."

"그래, 그래 수고하렴.ㅎㅎ"사장님이 나간 지 15분쯤 될 때쯤 한 여자 손님이 들어왔다. 나는 그 자리에서 다리의 힘이 풀렸다.

2년 넘게 우리를 버리고 간 엄마였다.

"민규야. 엄마야 엄마가 너무 늦게 왔지 미안하다."

엄마는 그동안 있었던 일을 말씀하셨다.

"변명이 될진 모르겠지만 나는 너희를 버리고 도망간 게 아니란다."

엄마는 돈을 벌러 외국에 다녀오신 것이었다.

"난 너희가 할머니에게 갈 것 같아 할머니에게 미리 말을 해 두었단다."

엄마는 오열하면서 말했다. 원래는 외국에 1년만 있다가 오려고 했는데 문제가 생겨서 출국도 못하다가 이 지경이 된 것이라고, 나는 엄마가 오열하시는 모습을 보며 정말 많은 감정이 들었다. 엄마에 대한 원망, 그리고 엄마에 대한 그리움도 돌아와 줘서 행복함까지 결국 우리는 서로를 끌어안으면서 울었다.

그때 그 순간은 베이고, 할퀴고, 두드려 맞은 나의 마음이 아무는 느낌이었다. 엄마와 떨어져 지내면서 매번 생각했다. 만약 엄마를 만나면 앞으로 나는 어떻게 해야 할지 이기적일 수도 있지만 나 혼자만 엄마를 따라가서 엄마와 살지 엄마를 두고 지금처럼 큰 일없이 환경은 힘들지만 그래도 행복하게 세 남매 끼리 살지.

 나는 한 번의 선택은 다시는 되돌릴 수 없는 갈림길을 스스로 건너라고 했다. 나라면 어떻게 할까? 라고 고민은 했지만 막상 엄마를 보니 고민했던 건 나의 머릿속에서 사라지고 그냥 아무 생각도 들지 않았다. 오직 엄마였다.

제3장 "상처"

그날 이후로 엄마는 맨날 피자집에 찾아오셨다. 그리고 이제 피자집을 관둬도 된다고 하셨지만 사장님도 좋으시고 일을 하다 보니 재미도 느껴 관둘 수가 없었다.

그리고 엄마가 이제 민준이랑 민주를 만나본다고 하셨다. 하지만 나는 우리에게 시간을 달라고 엄마에게 부탁했다.

솔직히 말하면 민준이가 걱정이었기 때문이다. 매번 엄마와 관련한 이야기만 나오면 화를 참지도 못하고, 엄마를 아주 많이 원망하고 있는 것 같았다.

원래 사람은 살아가다 보면 한 번쯤 배신을 당해봤을 것이다. 정말로 믿었던 사람에게 배신당하는 만큼 마음의 상처가 더 깊게 생긴다는 것을 나도 잘 알고 모든 사람이 그런다. 그래서 혹시 민준이가 마음의 상처를 받을까 봐 일부러 엄마이야기도 잘하지 않았다. 혹시 이야기했다가 마음의 상처가 더 쓰라리고 더 아파질까 봐.

그래서 오늘은 꼭 민준이에게 엄마가 돌아왔다는 것을 말하려고 다짐했다.

그날 저녁 민주가 피아노 학원이 늦게 끝나서 내가 피자집을 마감하고 민주와 만나 센터로 걸어가고 있었다. 나는 조심스럽게 민주에게 엄마에 대한 이야기를 꺼내려던 순간 청소년 센터에서 큰소리가 났다. 나는 곧장 달려가 보니 청소년센터가 난리가 나있고 민준이의 옷과 책상 모든 것이 찢기고 부서져있었다.

"엄마! 엄마 시간을 달라고 부탁을 했는데 왜 찾아오셨어요!?"

라며 엄마에게 화를 냈다. 말릴 틈도 없이 민준이가 엄마에게 던지고 다신 찾아오지 말라면서 화를 내고 물건들을 부시고 있었다. 당황한 나머지 엄마가

"민준아 내가 널 버린 게 아니고 돈을 벌러 잠깐 외국에 다녀온 거야..!"

하며 엄마는 침착하게 말로 설명했지만 민준이는 화를 내고 원망했다.

"엄마가 뭔데 우릴 찾아와!! 빨리 꺼져!!"

라며 엄마에게 화를 냈고 결국 민준이를 진정시키기 위해서 엄마를 보냈다.

"엄마 다음에 오세요!" "지금 더 얘기하면 상황만 더 안 좋아질 거예요!"

"알겠어. 다음에 다시 올게 쟤 왜 저러니!?"

엄마는 되레 민준이가 이상하다며 나에게 어이없어했고 나는 순간 느꼈다. 예전의 엄마가 아니라는 것을 일단 엄마를 보내고 민준이를 진정시켰다.

그리고 아까 물건들을 집어던질 때 긁히고 쓸려서 민준이의 손이 피범벅이 되었다. 재빨리 민준이의 손을 치료했고, 그 후 나는 민준이와 대화를 시작했다.

대화를 들으며 나는 민준이의 말을 듣고 충격을 받았다. 민준이의 말에 따르면 갑자기 엄마라고 찾아와서는 할머니의 보험

금을 받았냐고 물었다는 것이다. 그러고 보니 생각해 보니 엄마는 나를 만난 첫날부터 할머니얘기부터 꺼냈다.

"민규야, 할머니 돌아가시고 나서 많이 힘들었지, 그 혹시 보험 든 건 있니?"

라면서 할머니 얘기를 꺼냈다. 이제야 알게 되었다.

엄마가 왜 우릴 다시 찾아왔는지 할머니 보험금 때문이었다.

나는 믿을 수 없었다. 그럴 리가 없다. 우리 엄마는 돈에는 관심이 없는 사람이었다. 그런데 이렇게 미국에 다녀온 뒤 어떻게 엄마라는 사람도 이렇게 변할 수가. 날 나는 곧바로 다음 날 엄마의 절친인 미영이 이모를 찾아갔다.

미영이 이모라면 엄마 10년 지기 절친에다가 엄마와 거의 가족 같은 사이인 미영이 이모는 엄마의 소식을 잘 알고 있을 것이라고 생각했다.

미영이 이모의 연락처는 없지만 미영이 이모의 어머니가 하시던 백반집이 생각이나 곧장 나는 백반 집으로 향했다. 백반집 들어가자마자 뽀글 머리를 한 미영이 이모가 있었고, 나를 보더니 당황하신 듯했고, 미영이 이모의 모습을 보곤 나도 당황했다. 미영이 이모는 나에게 다가오시더니 갑자기 나를 안아주었다. 그러자 내가 당황하자 이모가 말했다.

"너 너희 엄마 때문에 찾아왔지. 이 어른들이 미안해 너무너무 미안해."

라며 갑자기 나에게 사과했다. 갑자기 엄마 얘기만 했는데 미안하다며 갑자기 안아주는 게 말이 안 됐다. 그래서 나는 단도

직입적으로 미영이 이모에게 엄마에 관한 사실을 모두 가르쳐 달라고 했다. 그러자 미영이 이모가 머뭇거리며 조심스럽게 말을 꺼냈다.

"사실은 너희 엄마 돈 벌러 간 거 아니고. 그냥 도망간 거야 이렇게 살 긴 싫다면서."

나는 당황하며 다른 질문을 했다.

"이모 그러면 엄마가 미국에 가겠단 것도 알고 있었어요?"라며 질문을 하니 그저 미영이 이모는 침묵뿐 이였다. 나는 이 사실을 듣고 치가 떨렸다. 엄마라는 사람은 우리를 버렸는데 자기만 행복해지려고 도망간 거라고 이 사실은 난 믿을 수가 없었고

"엄마가 위대해? 개뿔."

아빠보다 엄마가 더 낫다는 말도 후회된다. 내가 그동안 잘못 알고 있었다. 앞으로 다시 우리 엄마와 세남 매가 아주 잘 살아갈 거라는 희망 따윈 없다는 것을. 그리고 엄마 때문에 상처받았을 민준이 싸우는 것을 본 민주에게 볼 면목이 없었다.

우리는 할머니가 돌아가신 뒤 동네 사람들의 많은 도움을 받아 장례를 치렀다. 할머니의 보험금으로 장례를 치르고 보험금을 쓰고 남은 돈으로 식비와 생활비에 보탰다. 할머니 장례를 치른 뒤에도 어느 때와 똑같이 할머니 집에 갔다.

"오빠! 할머니 어디 갔어,,? 나 할머니랑 놀 거야!"

이날은 해맑은 민주의 목소리와 훌쩍이는 민준이, 그리고 나도 모르게 눈물이 떨어졌다.

우리는 할머니의 보험금으로 우리는 할머니 집에서 2달 동안 살 수 있었고 정전이 일어난 뒤에 우리는 청소년센터로 가게 된 것이다.

 그러는 엄마는 외국에서 잘 먹고 잘 살다가 앞으로 미국에서 생활할 돈이 떨어지니 보험금을 다시 가지고 가려고 했다고 미영이 이모가 말했다.

 "내가 말하지 못해 면목이 없구나. 숨길려고 한건 아니란다.. 정말 미안하다."

 라며 어이없는 변명과 이유를 대었다.

 터덜터덜 거리며 센터로 돌아가는 길에 많은 생각이 들었다. 드라마에서 가슴이 찢어질 것 같다는 말이 무슨 말인지 느끼며 돌아왔다.

 "이제 나는 앞으로 어떻게 살아야 하지."

 하며 수많은 걱정들을 마음속에 품었다. 나도 꿈이 있었다. 나의 꿈은 많았다. 경찰, 비행기, 조종사, 마술사, 화가 등 그때는 모든 될 수 있을 것 같았다.

 하지만 지금은 동생들을 위한 가장이 되어야 한다. 우리 셋도 우리가 성인이 될 때까지 센터에서 살 수 있는 것도 아니고, 언젠가는 센터에서 나가야 할 것이다.

 현실은 마치 쓰레기장. 부모가 없다는 이유로 취직도 시켜주지 않는 사람도 있고, 학벌, 부모의 직업을 따지는 사람들 현실은 정말 말로 표현하기 힘들다. 더 이해가 되지 않는 건 애들이 무시하는 직업도 있기 때문이다.

선생님께서 꾸중을 하실 때

"너 뭐가 되려고 공부를 안 하니?"하면 장난스럽게 "돈 많은 백수 할 건데요."라고 하는 경우도 있지만 "저 에어컨 설치기사 할 건데요."라고 하는 경우도 있다.

에어컨설치기사가 되려고 얼마나 고생하고 얼마나 힘든 과정을 거쳐야 하는데 그냥 에어컨설치기사는 누구나 쉽게 할 수 있다고 말하는 애들을 볼 때마다 나는 속이 답답하다. "지는 이런 일도 못 할 거면서" 나 같은 아이는 뒤에서 지원해 주는 부모님도 없고, 스스로 헤쳐 나가야 하는 엄청난 5단계 미션이다.

인생에서 가장 중요한 미션이 된 셈이다. 그 미션을 위해 죽을 만큼 싸우는 나는 인생과 결투를 하는 것이다. 누가 이기고 지는지는 나에게 달려있다.

나는 다음날 알바를 나오지 못한다고 사장님께 미리 말씀을 하고 엄마를 불러 엄마를 만나러 갔다. 약속한 장소에서 엄마가 있었다.

엄마가 나를 딱 보더니 "여기야! 민준아!"라며 밝은 목소리로 나를 불렀다. 나는 불안한 마음을 가라앉히고 자리에 앉았다. 그러자 엄마는 나에게

"민준아 너 뭐 마실래? 아이스커피 아님 아이스 초코? 아직 어려서 커피는 무리 인가?.ㅎㅎ"

라며 음료를 시키셨다. 하지만 나는 엄마의 말을 무시한 채 본론을 꺼냈다.

"엄마, 엄마 우리 버리고 간 게 엄마가 힘들어서 우리 버리고

도망간 거예요?"

그러자 엄마는 전혀 당황하지 않는 표정으로 "응"이라며 대답했다. 화가 난 나는 엄마에게 더 물었다.

"그러면 엄마 한국에 다시 온 거랑 미국에서 우릴 위해 일해서 돈 번 것도 다 거짓말 이었어요.?"

엄마는 내가 상상만 하던 말을 내뱉었다.

"당연한 거 아니야.? 나는 너희들 키우는 게 정말 시궁창 같고 네가 사람이 아닌 건만 같았어.! 니가 내 마음을 알기는 해?"

라며 충격적인 말을 내뱉었고, 되레 나에게 짜증냈다. 그러자 나는 주섬주섬 가방에서 무언가를 꺼냈다.

"이거 내가 8개월 동안 밤까지 아르바이트하면서 모은 돈이야."

"그러니까 앞으로 우리 앞에서 사라져."

그러자 엄마는 봉투를 잽싸게 확인하더니 엄마는 아무 말 없이 자리를 벅차고 가버렸다. 내가 마시던 커피에 비친 나에 모습은 처참했다. 인간들에게 잘리고 깎인 나무들처럼 곧 있으면 나도 시들하게 쓰러질 것 같았다.

그 뒤로는 엄마의 연락은 오지 않았다. 그렇게 엄마라는 사람은 우리의 인생에서 영원히 사라졌다. 나에게는 하나의 큰 상처만이 또다시 생겼다. 그 사람은 상처를 준지도 모르고 떠났다.

"사람은 왜 나에게 상처를 줄까?"

나는 상처를 왜 주는지 나도 알 수도 없고 당연히 상처를 주는 사람도 자신이 남에게 상처를 주는지도 모른다. 상처는 그 누구도 알 수 없는 것이다.

 마음이 약한 사람들은 상처를 받으면 누군가의 위로가 없으면 마음에 있는 상처가 더 깊고 깊게 쓰라리게 느껴진다. 하지만 마음이 강한 사람은 위로해 주는 사람이 없어도 스스로 일어날 수 있는 힘이 있다. 만약 나에게도 마음을 위로해 줄 만한 따뜻한 가족이 있었더라면 나의 지금 이 쓰라린 상처는 아물 수 있을까.

제4장 아빠

11월의 쌀쌀한 초겨울, 나는 벌써 중3 2학기가 끝나가고 고등학교 준비를 하고 있다. 민준이도 중2 2학기를 마무리하며 중3 준비를 했다. 민주는 초등학교 2학년을 마무리하고 초3을 준비했다. 민주가 초등학교에 들어갈 때부터 하던 피아노는 실력이 많이 늘어서 한 번씩 콩쿠르에 나갈 정도의 실력이 되었다.

특히 민주는 엄마, 아빠 없이도 잘 해내가고, 길도 잘 찾고 공부도 열심히 했다. 요즘 민주는 피아노 학원이 끝날 때 혼자서도 잘 걸어온다.

그런데 어느 날 30분이 지나도 1시간이 지나도 민주가 오지 않자 센터장 선생님께서 나에게 전화를 걸으셨다.

"민준아! 혹시 민주랑 같이 오고 있니?"

초초한 말투로 말하셨다.

"아니요. 민주랑 지금 같이 있지는 않은데 왜요?"

라고 말하자 센터장님은 다급한 목소리로

"민주가 원래 30분쯤은 피아노 학원 애들이랑 논다고 한 번씩 늦게 오는데 지금은 1시간이 지났는데도 오질 않아.."

라고 말하자마자 나는 지나오던 길로 다시 달려갔다. 원래 민주는 4시나 5시 30분쯤 원래 센터로 와야 하는데 저녁 6시 40분이 되어서도 돌아오지 않자 센터장님께 연락이 왔던 것이다.

버스정류장을 지나서 중학교를 지나서 마트를 지나서 급한 발

걸음으로 민주를 찾았다. 달리면서 민주가 있을만한 곳을 생각
해 보았다.

그 순간 놀이터가 나의 머릿속에 딱 들어왔다. 나는 일단 동네
에 있는 아파트는 다 돌고 아파트 안에 몰래 들어가 아파트 놀
이터까지 싹 다 뒤졌지만 민주는 놀이터 어느 곳에서도 없었다.
또다시 절망에 빠져있던 순간 아침에 민주가 그냥 아침에 오늘
딸기돼지바를 먹으러 갈 거라며 한 귀로 듣고 한 귀로 흘린 말
이 생각이 났다.

"여기 동네에는 행복아이스크림 거기에만 핑크돼지바가 들어
와!"

민주의 말이 생각난 나는 바로 나는 행복아이스크림으로 갔다.
바로 달려갔지만 아이스크림 점에도 민주의 모습은 보이질 않
았다.

나는 '혹시 누가 데려갔나?'하며 걱정스러운 마음을 안고 동
네를 계속해서 돌았다. 계속 동네를 돌던 도중 센터장님과 센터
에 있는 아이들도 초초하게 다들 민주를 찾고 있었다.

그렇게 계속 동네를 한 6바퀴쯤 돌았을 때 민주는 엄청나게
먼 아파트 쪽 벤치에 앉아 있었다. 민주는 어떤 아저씨와 이야
기를 하며 같이 있었다.

안도하는 마음으로 달려가서 민주에게 화를 냈다.

"김민주. 너 어디 간 거야 한참 찾았어..!"

하며 걱정하던 순간 갑자기 어떤 나를 보곤 아저씨가 당황했
다.

아저씨가 나를 보며

"민규.? 너 민규 맞지.!"

라며 나의 이름을 말했다. 나는 당황해서 '어떻게 내 이름을 알지.?'하며 고개를 드니 내가 알던 모습이 아닌 처음 보는 모습의 아빠였다. 항상 꾸미지도 않고 항상 같은 옷에 술 냄새만 가득 풍기는 그런 사람이었는데 내가 본 아빠의 모습은 단정한 머리에 정장까지 내가 알던 아빠와 180도 달라진 모습이었다.

하지만 나는 아빠를 본 순간 아빠가 우릴 때리고 학대했던 순간들이 내 머리를 스쳐갔다. 그러자 나는 갑자기 알 수 없는 감정의 화산이 폭발해 소리 쳤다.

"민주한테 무슨 짓 했어요! 그리고 당신이 뭔데 우리를 찾아와!"

그러자 아빠는 당황하며

"난 이 애가 민주인지 몰랐어. 나는 그저 너희가 센터에서 지낸다는 소리에 너희를 보러 가려고 했는데 이 애가, 아니. 그러니까 이 애가 자기도 센터에 산다고 해서 물어본 것 분이야! 난 정말 아무 짓도 안했어!"

정말 아빠는 혼란스러운 표정을 지으며

"진짜 민주야 이 애가.?"

하며 나도 처음 보는 울음을 터트렸다. 그 모습을 보던 민주가

"오빠 내가 먼저 말 걸었어..! 이 아저씨가 그런 거 아니야 아무 짓도 안 했어!"

라며 민주는 흥분한 나를 진정시켰다. 민주에 말에 따르면 친

구랑 놀고 혼자 아이스크림을 사서 센터에 갈 때 더 놀고 싶어서 놀이터에 갔다가 아빠를 만났고 아빠인지도 모른 채 센터이야기를 하고 있었던 것이다.

벤치에 셋은 앉아서 이야기를 나누었다. 아빠가 조심스럽게 말을 걸었다. 사실 너희들을 찾아온 이유는 이라며 아빠가 말을 시작했다. 하지만 나는

"찾아온 이유는"

말을 들을 때 왠지 모를 불안함이 내 머릿속을 지배했다. 엄마처럼 아빠도 돈 때문에 우리를 찾아온 걸까 봐 두려웠고 불안했다.

그 불안감에 나는 갑자기 일어나서

"아빠 찾아오지 마세요!"

라며 아빠에게 이유를 말할 기회도 주지 않았다. 아빠는 어쩔 수 없다는 표정으로 "알겠다. 라며 무거운 발걸음으로 돌아갔다. 센터로 돌아가서 민주가 나에게 물었다.

"진짜 그 아저씨가 내 아빠야.?"

하며 울먹이는 눈빛으로 쳐다보았다.

"어, 민주야 그때 그 아저씨가 우리 아빠야, 그래도 아빠 보러 가지 말고, 만약에 민주한테 또 찾아가면 오빠한테 말해"

하며 한숨을 푹 쉬었다.

민주는 아빠를 본 이후로 말이 없어졌다. 또 어느 날은 그렇게 좋아하던 피아노학원도 안 간다 하며 좋아하는 간식도 입에 대지도 않는다면서 투정을 부리기 시작했고, 또 어떤 날에는 열심

히 하던 공부마저도 소홀히 하자 알바를 끝내고 와서 민주방에 들어가 요즘 왜 그런지 민주에게 물어보았다. 그러곤 갑자기 민주는 울음부터 쏟더니

"나 아빠랑 살래, 왜 우리는 아빠랑 못살아.?"

라는 것이다.

민주에게 어떻게 말할지 고민되었다. 나에겐 좋은 아빠도 아니고 맨날 술만 먹고 때리기만 하는 사람이었기 때문이다. 아빠는 나쁜 사람이라고 옛날에 엄마랑 나를 때렸다고 말한다면 민주는 충격이 클 것 같아서 일단 차분히 "민주야 왜 아빠랑 살고 싶어?"라며 왜 아빠랑 살고 싶은지 물어보았다. 그러자 민주는

"나도 아빠 있었으면 좋겠어. 다들 아빠 있는 거 볼 때마다 나 너무 속상해"

라며 서럽게 쌓인 말들을 말해주었다. 민주의 말을 듣고 나는 민주의 말이 이해가 갔고, 너무 속상했다.

사실 민주는 아빠랑 살고 싶을 만하다. 유치원 행사 때도 다들 부모님이 와서 챙겨주고 그랬지만 민주는 센터장님이랑 나랑 민준이랑만 갔기도 하고 다들 아빠가 있어 아빠들이 목마도 태워줘 속상한 마음이 컸을 듯하다.

또 언제는 유치원에서 가족 그리기 같은 걸 했을 때도 매번 민주는 그 숙제만 해가지 않았다. 우리가 부끄러운 게 아니라 엄마, 아빠가 없다는 사실이 더 부끄러웠을 것이다.

내가 아빠 역할을 대신할 수 없어서 미안한 마음이 가득했는데 솔직히 아빠한테 가라고 할까라고 생각도 들었지만 혹시 민

주를 보냈다가 예전처럼 또 술을 마시고 와서 때릴까 봐 보낼 수 없었다.

 나는 그래서 민주한테 아빠와 같이 살고 싶냐고 천천히 이야기를 꺼내 보았다.

 "그럼 여기 떠나서 아빠랑 둘이 살 거야?"

 라고 물어보니 눈물을 흘리면서

 "나는, 모르겠어 아빠를 보니까 같이 가고 싶은데 민준이 오빠랑 오빠가 안 가면 나도 안 갈래."

 라며 울음을 멈추었다. 눈물을 꾹 참는 민주를 보니 할 말을 잃었다. 이렇게 어린아이가 엄마, 아빠 때문에 우울해지고 불행해지는 것 같아서.

 민주와 내가 센터에 도착한 뒤 바로 센터장님께 연락을 했다. 그러자 센터장님은 안도하시며 바로 센터로 간다고 하셨다. 그리고 갑자기 민준이에게서 연락이 왔다.

 민주가 사라진 소식을 지금 들은 민준이는 놀라 나에게 연락을 해왔다. 그래서 나는 민주 찾았으니 걱정하지 말라고 민준이를 안심시켰다.

하지만 민준이는 흥분하며 화를 냈다.

 "누가 민주 데려갔다며 그 새끼 누구야!!"

 라며 민주와 어떤 아저씨와 같이 있었다는 것을 친구들한테 들어서 알고 있었다. 요즘 엄마 때문에 스트레스도 많이 받았을 텐데 아마 민준한테 아빠가 민주를 찾아간 사실을 말하면 난리가 날 거다.

나는 일단 민준이에게 거짓말을 했다.

"그게 아니라. 그 민주가 다니는 피아노학원 있잖아?.. 거기 선생님이랑 같이 있었는데 연락을 깜박하고 못한 거래.."

라며 거짓말 같지도 않은 거짓말을 했다. 그러자 민준이는 아무 말도 하지 않고 전화를 끊어버렸다. 거짓말을 하는 것을 안 걸까 나는 어쩔 수가 없었다. 어떠한 변명도 민준이에게 할 수 없었다. 민준이를 위해서라면.

그다음 날 알바를 끝내고 온 뒤 센터장님이 나를 불렀다.

"민규야 아빠가 나한테도 찾아오셨어. 말을 들어 보니까 교도소에서 출소하시고 너희들한테 절대 절대로 가지 않으시겠다. 다짐하셨는데.. 엄마가 너희를 버리고 갔다는 소식을 듣고 1년 8개월 동안 돈을 악착같이 벌어서 너희를 다시 만나려고 하신 거래"

나는 이 말이 듣고 싶었다. 우리를 버리지 않는다는 말. 센터장님은 아빠의 말을 듣고 우리에게 아빠와 사는 것을 물어봤다. 하지만 이해가 되지 않은 나는 센터장님의 말을 더 자세히 들어보니 아빠는 이제 알코올 중독증도 다 치료받았고 우리를 이제 데리고 올 수 있는 환경이 돼서 우리 셋을 데리고 가고 싶었다고 하셨다고 한다.

아빠가 우리를 데리고 가면 예전처럼은 아니더라도 조금이나마 행복하게 살 수 있을까라는 생각이 더 컸다. 하지만 걱정인 게 민준이였다. 요즘 중2병이 심해져서 살짝만 뭐라 해도 폭발하고 가시처럼 아픈 말들을 계속 내뱉었다. 학교에선 껄렁껄렁하게 일진 무리 랑만 다니고 친구나 때리고 다니고 어떻게 학교생활을 하는지 선생님들 입에 민준이가 떠나질 않았다.

학교에서 보니 내 동생이라고 하기 부끄러울 정도였다. 지금 이런 민준이를 아빠가 감당할 수 있을지 그러다가 민준이의 모습을 보곤 다시 때리지는 않을지 나는 이런 민준이를 감당할 수 없을지도 모르지만 민준이를 설득해 보기로 했다.

다음날 나는 긴장되는 마음으로 민준이의 반을 갔다. 가고 있던 도중 큰 소리가 났다. 여자애들의 비명소리에 나는 곧바로 반으로 뛰어갔다.

반을 가서 보니 민준이가 일진무리에게 둘러싸여서 맞고 있었다. 나는 달려가서 민준이를 구하려고 했지만 사람들이 둘려 싸여서 들어갈 수 없는 상황이었다.

"야 김민준 내가 우리 무리에 넣어줬더니만 아주 기어오른다"

일진무리 중 대장이 민준이의 머리채를 잡으며

"야 애 엄마도 도망가고 아빠는 범죄자래"

나는 그 모습을 보고 머리끝까지 차오르는 분노를 의자를 들고 일진무리 중 대장을 쳤고 대장이 기절하면서 그렇게 상황은 종료되었다.

그날 이후 민준이의 엄마는 도망가고 아빠는 범죄자라는 사실이 학교 소문에 퍼졌고, 나도 그날 이후 내가 민준이의 형이라는 사실과 반에서 말하지 않던 애가 아빠가 범죄자여서 그렇다는 헛소문까지 학교 전체에 퍼져 이 동네 사람들은 다 알 지경이었다. 나는 나의 담임선생님에게 민준이와 함께 불러졌다.

"민규야 이게 어떻게 된 거야 너 이대로면 학폭 갈 수도 있어!"

라며 황당한 말을 내뱉자 민준이가 어이없다는 듯이

"걔가 먼저 우리 엄마랑 아빠 욕했고 나를 계속 때려서 한방 친 거 가지고 왜 우리 형이 학폭 가는데요!!아니, 잘 생각해 봐요! 어른들이 봐도 걔가 잘못한 거 아니에요!?"

라며 화를 냈고 나는 그냥 잘못했다고만 했다. 그러자 민준이가 화를 내며 "형까지 왜 이래! 진짜!"라며 억울해했다. 사실 나는 그때 모든 것을 포기하고 싶었다. 내가 상상했던 최악의 상황이었기 때문이다. 소문이 멀리 퍼지고 퍼져 결국 가을에 잎사귀가 힘없이 떨어지듯 나의 마음도 힘없이 하찮게 떨어져 나갔다.

3일 뒤 부모님들끼리 상의를 했다. 나를 처벌할 것인지 처벌하지 않을 것인지 그 자리에는 센터장님이 대신 서주셨다. 일진무리 중 대장이라는 애의 엄마가 말했다.

"애미 도망가고 애비는 범죄자니 이 모양 이 꼴로 크지 도대체 어떻게 교육을 한 거야!!"

라며 나에게 대못보다도 날카로운 말을 박았다. 날카로운 말들은 심장이 멎는 순간보다도 더 괴로울 거라는 생각에 빠져있던 때 갑자기 교장실 문이 열리더니 갑자기 아빠가 나타났다.

그러면서 아빠는

"우리 민규 애비, 애미 못나더라도 잘 커줬고, 당신 아들보다 반듯하고 동생을 사랑하는 그런 아이입니다! 혹시 그쪽 아드님은 당신이 버르장머리 없이 키워서 그렇게 큰 겁니까?"

아빠는 내가 보지 못한 정말 '아빠'의 모습을 보여줬다.

"뭐뭐뭐라고!!"

그 애의 엄마는 뒷목을 잡으며 한숨만을 내뱉었고 아빠와 상의 끝에 서로 사과만 하고 나의 학폭은 열리지 않았다. 아빠가 나를 위해 나서주는 순간 정말 이게 아빠라는 존재를 깨달았다. 우리는 아빠와 함께 학교를 나왔다.

아빠는 민준이에게 천천히 말을 꺼내보았지만 민준이는 보는 채도 하지 않았다. 아빠가 우리를 데려다준다고 했지만 민준이는 말을 무시한 채 운동장을 터벅터벅 걸어 나갔다. 그리고 나는 급하게 아빠에게 어디에서 사는지 물었다.

그러자 아빠는 화색 하며 나에게 몰래 집 주소를 적어주었다. 그러곤 나는 물어볼 것도 있고, 궁금한 것도 있다며 내일 집으로 찾아가겠다고 했다. 그 뒤에 나는 터벅터벅 걸어가는 민준이를 곧장 따라갔다. 갑자기 아빠를 본 민준이는 정말로 놀랐지만 아빠가 나를 보호해 주는 것을 보고 아무 말도 하지 않았다. 내가 먼저 말을 꺼내보았다. 그러자 민준이는 의외로 센터로 가면서 이런저런 말들을 했다.

"야 너는 아빠가 찾아왔으면 나한테도 말해야지 왜 나한테 말 안 했냐? "

"야 너는 형한테 "야"가 뭐니? 으이그 사실 아빠 본거 말하면 네가 난리 칠 것 같아 그랬다.."

"내가 무슨 깡패냐?? 나 그래도 그렇게 막 난리 피우지는 않거든"

"야, 그건 네 생각이고.."

나는 조심스럽게 물어봤다.

"아빠가 우리랑 같이 살자는데 어떡할 거야 같이 살래?.."

민준이는 당황한 듯 보였다.

"엥? 갑자기 그 사람이 왜 우리랑 같이 살아? 난 죽어도 싫어 형이랑 민주 갈 거면 난 혼자 있을 거야!"

서로 화해한 우리는 또 다시 싸우기 시작했다.

"아니 내 말은 그게 아니고 아빠 알코올 중독 치료도 했고, 돈도 많이 벌어놓으셨는데"

"됐어!! 다 필요 없어 아마 그 아빠라는 사람도 우릴 결국 버린 거나 마찬가지라고!!"

민준이가 울먹거리며 말했다.

"아니. 우리 예전은 아니어도 행복해지자."

"싫어!! 나는 그 아빠라고 말하지도 않을 거야"

민준이가 급히 뛰어갔다.

"김민준!!"

나도 민준이의 뒤를 뒤따라 달려갔다. 나는 뛰어가 민준이를 따라가다 뛰는 것을 멈추었다.

'내가 더 일찍 말했다면 민준이가 더 충격을 덜 받았을까?'

도대체 왜 뭐가 문제인지 나도 모를 이유에 잠겼다.

"내가 왜 재를 따라가야 하지?"

"내가 달려가서 뭐 해?"

나도 모르게 민준이에게 화가 나있었던 것 같다.

한 편의 마음속으로 의지할 수 있는 사람이 있는데 민준이의 말을 듣고 그 사람을 밀쳐내겠다는 소리로 들렸던 것 같다.

"너무 어릴 때부터 의지하고 버틸 수 있는 사람이 없어서 그런가."

나는 속마음으로 이렇게 생각했다. 의지할 수 있는 사람은 분명히 있을 것이라고. 오늘 본 나를 위한 아빠의 모습은 의지할 수 있는 사람이었다. 그래서 오늘 나는 꼭 아빠와 살아야겠다고 다짐했다. 내가 앞으로 의지할 사람이니까. 나도 이제 의지할 수 있다는 희망을 조금이나마 품었다.

제5장 가치

 다음날 나는 아빠가 살고 있는 아파트에 찾아갔다. 그 아파트는 생각보다 겉은 오래된 것처럼 보였지만 단지 안에는 매우 잘되어 있었다. 놀이터에는 웃고 있는 아이들이 가득했다. 민주가 여기서 산다면 친구도 더 많이 사귀고 더 좋은 환경일 거라는 상상도 하며 아빠의 집을 찾아갔다.
 엘리베이터를 타고 올라가 아빠의 집에 초인종을 눌렀다. 그러자 초인종이 울리자마자 아빠는 곧장 문을 열고 나를 반갑게 맞아주었다.
"어! 민규가 왔어? 어서 들어와"
 나는 아빠의 집으로 들어갔다. 들어가자 보이는 건 우리 세 남매의 사진 뿐이었다. 아빠는 사진을 보는 나를 쳐다보곤 활짝 웃으셨다.
 거실에 들어서니 쾌적하고 깔끔한 거실에 고급 소파에 좋은 티브이까지 전에 아빠의 공간도 전혀 뒤바뀌어 있었다. 나는 거실에 앉아서 아빠가 마실걸 준비할 때 나는 아빠에게 말을 꺼냈다.
"아빠, 아빠는 왜 우리를 다시 찾아왔어요.?"
 그러자 아빠는 당황하면서
"사실 교도소에 있을 때 많은 생각을 했어. 내가 전에 술에 빠져서 너희들 툭하면 때리고. 내가 못된 아빠였지.. 그래서 내가 정말 미안했어."

라며 솔직히 털어놓았다.

"그리고 교도소를 출소한 뒤에 돈을 벌려고 일하다가 너의 할머니에게 너희들 소식을 듣고 너희를 데려가려고 했어.. 근데 막상 데리고 갈려니까 망설여지더라.."

"내가 지금 너희들을 키울 수 있을는지 또 너희들이 나를 믿고 나랑 살 수 있을지 자신이 없었어."

"그래서 내가 너희를 데려가지 못했어."

"그래서 이제는 돈도 열심히 벌었고 너희들과 다시 만나기 위해서 알코올중독 치료도 받고 너희들과 같이 살려고 많은 노력을 했어. 그리고 너희가 여기 쪽 동네에 산다는 것만 알지 정확히 할머니 돌아가신 지도 모르고 연락이 끊겨서 할머니 사시던 동네에 너희들이 있을까 해서 여기 동네로 이사온 거야."

"그러면 민주 만난 것도 정말 우연이죠?"

"어! 정말이야 민주는 정말 어릴 때 얼굴보다 더 성숙해져서 몰라봤어.!"

"정말이죠?"

진심인 듯 아빠는 진지하게 나에게 말했다. 아빠가 주방에서 따뜻한

"정말로. 이건 절대 거짓말 아니야"

핫초코를 타오셨다. 그러곤 갑자기 방에 들어가더니 양손 무거워 보이는 짐들을 들고 나왔다.

"이게 뭐예요.?"

"이거 이제 겨울인데 따뜻하게 입고 다녀야지"

"아빠가 백화점 가서 가장 따뜻한 패딩으로 사 왔어"

이런 다정한 모습의 아빠를 보곤 정말 많이 바뀌려고 노력한 게 느껴졌다. 아빠와 살면 행복해질 수 있을 거라는 확신이 더 뚜렷하게 생겼다. 그리고 나와 아빠는 해가 질 때까지 함께 대화를 나눴다.

벌써 시간은 초겨울 12월이 되었다. 나는 아빠 집에서 대화를 나눈 후로 아빠와 사이가 좋아졌다. 또 민주와 함께 아빠 집도 가고 민주를 데리고 가서 아빠, 나, 민주는 좋은 시간을 보냈다.

민준이도 함께 데려오려고 설득해 보았지만 아직도 아빠를 많이 싫어했다. 예전에 때려서 정말 미안하다는 사과도 받고, 나에게 의지할 수 있는 사람이 되어줬다. '가족은 ○○이다'라는 말에 예전에는 채울 수 없던 ○○을 사랑으로 채울 수 있게 되었다. 나는 민준이를 설득해서 아빠와 살아보기로 했다.

사실 그전에도 아빠는 민준이의 마음을 얻기 위해서 많은 노력을 했지만 아직도 전혀 민준이의 마음을 얻지는 못한 것 같다. 그래서 이번에 꼭 민준이의 마음을 얻으려고 아빠는 철저한 계획을 세웠다.

민준이가 가장 좋아하는 음식, 물건 등 하고 싶은 모든 걸 다 나한테 알려달라고 했다. 그래서 아빠는 가장 민준이가 필요할 때나 필요한 물건이 있을 때마다 도와주면서 사과도 하는 그런 계획을 세웠다. 처음에 이 계획을 들었을 때 민준이에게 이게 통할까 라는 생각도 들었지만 이번 기회에 관계가 회복되지 않는다면 아빠와는 이제 끝이기에 한번 해보자라는 마음으로 나도 이 계획을 도왔다.

첫째 날, 민준이가 저녁에 너무 치킨이 먹고 싶다고 했다. 그 말을 들은 나는 곧장 아빠한테 연락해 이 소식을 빠르게 전했고, 그날 저녁 센터 장에 아빠가 치킨을 사들고 오셨다. 마침 나와 걸어온 민준이 아빠를 보곤 무시해 버렸다.

아빠는 당황했지만 민준이에게 말을 걸었다.

"민준아, 너한테 사과하고 싶은 것도 있고, 아빠가 할 얘기가 있는데 아빠도 센터로 들어가도 될까?"

그러자 민준이는 아빠를 빤히 쳐다보며 말했다.

"싫은데, 나는 당신 아빠라고 생각한 적도 없어요."

민준이는 아빠에게 차가운 말을 내뱉었다. 그리고 아빠는 치킨을 나에게 주고 가셨다.

둘째 날, 우리 학교에서 체육대회가 있는 날이었다. 원래라면 센터장님이 대신 오시는데 이번에는 내가 아빠를 불렀다. 아빠는 말끔한 정장에 깔끔한 머리를 하고 오셨다. 아빠를 본 많은 아이들의 시선을 집중시켰다. 그 모습을 본 민준은 처음에 보곤 그 뒤로 아무 반응이 없었다.

그리고 민준이와 아빠는 부모님과 함께하는 2인 3각 경기를 했다. 아빠가 적극적으로 민준이를 이끌었고, 결국 1등을 했다. 민준이는 1등을 했는데도 좋지 않은 표정으로 반 친구들 사이로 가버렸다. 하지만 어제와는 다르게 반응이 좋은 것 같아 안심이 되었다.

셋째 날, 이번에는 민준이가 숙제로 부모님과 사진을 찍어오는 거였다. 센터에 돌아와서 민준이는 말을 꺼냈다.

"나 이번 학교 숙제가 가족사진인데 그냥 센터장님이랑 민주랑 형이랑 같이 찍자"

그러자 나는 아빠와 같이 찍는 것을 생각했다.

"그럼 아빠도 같이 나오면 다 같이 찍는 거야!"

하며 아빠와 같이 찍자고 말했다. 민준이는 순간 말을 멈췄지만 짜증난다는 식으로 "아 알겠어,"라며 싫어하면서도 은근히 부끄러워했다. 그날 저녁, 아빠가 센터에 행복한 얼굴로 왔다.

민준, 민주, 나, 센터장, 아빠는 오순도순 모여 함께 사진을 찍었고 오랜만에 항상 어두웠던 민준의 얼굴도 밝은 얼굴로 바뀌었다.

넷째 날, 이번에는 민준이가 필요한 일이 없었지만 아빠는 민준이네 학교를 찾아갔다. 학교가 끝나고 나와 보니 민준이와 아빠가 서로 이야기를 나누고 있었다.

그러고는 둘이 어딘가를 갔다. 그날 저녁 민준이가 원래 센터에 오던 시간보다 1시간이나 늦게 왔다. 들어오는 민준이를 봤는데 요즘 유행하는 노스페이스에 패딩을 입고 있었다. 나는 곧장 민준한테 가서 오늘 아빠와 뭘 했는지 물어보았다.

"민준아, 아까 너 아빠랑 만나서 어디 가던데 뭐 하고 왔어?"

"나, 그냥 놀고 왔어."라며 어제처럼 밝은 미소가 보였다. 문자로 아빠에게 들어보니 민준이에게 다시 찾아온 이유를 확실히 설명하고, 민준이가 요즘 빠져있는 노스페이스에 패딩을 사준 것이었다. 나는 아빠에게 민준이가 많이 좋아한다며 말했고, 그 말을 들은 아빠는 엄청 좋아하셨다.

"아빠, 민준이가 오늘 산 패딩 너무 마음에 들어 하던데 어떻게 그런 생각을 하셨어요?"

아빠가 웃으며 말했다.

"요즘 그 잠바가 유행이라며 아빠가 민준이가 이거는 정말 좋아할 것 같아서 사줬지"

아빠가 노력한 덕분에 관계를 좋아질 거라는 희망이 더 커졌다.

마지막 날, 이번에는 나, 민준, 민주는 물론 모두 태어나서 한 번도 가보지 못한 놀이동산 티켓을 주며 아빠와 같이 살자는 부탁을 한다고 했다.

물론 민준이가 안 간다고 거절할까 봐 조마조마했지만 요즘 사이가 좋아져서 기대도 되었다. 그날 저녁, 아빠가 센터에 찾아왔다. 민준이는 아무 말은 하지 않았지만 아빠를 반겨주었다. 아빠는 모두에게 할 말이 있다며 책상에 앉으라고 했다. 책상에 앉고, 아빠는 말을 꺼냈다.

"애들아, 내가 너희 어릴 때 술 먹고 때린 행동들 모두 용서해 줘. 아직 용서는 안 될 수도 있지만. 나 정말 달라진 모습을 너희에게 보여주고 싶었어. 내가 아직 많이 부족한 아빠이더라도 나는 너희들을 행복하게 해주고 싶어. 너희와 같이 살고 싶은데 그래도 될까?"

그러자 민주와 나는 곧장 "응! 같이 살래"라고 대답했지만 민준이는 많은 고민에 빠진 듯 말을 쉽게 꺼내지 못했다. 1분간 정적이 흘렀지만 민준이는 천천히 말하기 시작했다.

"내가 당신을 믿을 수는 없지만 요즘 우리에게 했던 모든 행동을 보면 신기할 정도야. 그래서 한번 당신을 믿어보려고 해. 같이 살아요."

민준이의 말은 들은 아빠, 나는 물론 민주까지 서로 행복한 눈물을 흘렸다. 그러면서 아빠는

"여기 너희 한 번도 놀이공원 안 가봤지 여기 이거 놀이공원 티켓이야. 이 아빠랑 같이 다녀오지 않을래?"

라며 말을 꺼냈고, 우리는 "당연히 좋죠!"라며 설레는 마음이 가득 찼다.

토요일 날, 아빠는 우리를 데리고 놀이공원에 갔다. 놀이공원에 가니까 온갖 재밌어 보이는 놀이기구, 맛있는 음식, 귀여운 동물이 있는 동물원까지 엄청나게 컸다.

설레는 마음으로 우리는 엄청나게 긴장되는 롤러코스터, 심장이 바닥으로 뚝 떨어질 것만 같은 자이로드롭, 생각보다 무서워 보이지만 전혀 무섭지 않고 무서운 귀신의 집까지 거기에다가 식당에도 가서 맛있는 음식도 먹었다, 같이 동물원에 가서 구경도 하고, 정말 꿈처럼 재미있는 하루를 보냈다.

그리고 밤이 되자 아빠는 센터에 우리들을 내려 주셨다. 그리고 그날 밤 나는 잠에 들었고, 오랜만에 좋은 꿈도 꿨다. 이제 나에게는 꺼져가는 불씨를 바꿔줄 사람이 생겼고, 더 이상 혼자 애쓰지 않아도 된다.

또 중요한 건 사랑한다고 말할 수 있는 사람이 생긴 것이다. 우리 가족은 엄마, 아빠 없이도 잘 살았던 그런 가족이었고, 우린 그런 가족을 싫어했다. 하지만 이제 우리는 사랑할 수 없었던 가족을 다시 사랑할 수 있게 되었다.

사랑하고 싶었던 나의 가족, 사랑하는 나의 가족

사랑하고 싶었던 가족 끝.